D1273235

RINZEN

ET L'HOMME PERDU

De la même auteure

Wildwood, Libre Expression, 2014
233 °C, dans *Crimes à la librairie*, collectif de nouvelles, Druide, 2014
Eaux fortes, Expression noire, 2012
Vanités, Expression noire, 2010 ; réédition 2013
Le Défilé des mirages, Expression noire, 2008 ; réédition 2013
Le Cercle des pénitents, Expression noire, 2007 ; réédition 2013
Le Cri du cerf, Expression noire, 2005 ; réédition 2012, 2016

JOHANNE

SEYMOUR

RINZEN

ET L'HOMME PERDU

Une société de Québecor Média

Catalogage avant publication de Bibliothèque et Archives nationales du Québec et Bibliothèque et Archives Canada

Seymour, Johanne
Rinzen et l'homme perdu
(Expression noire)
ISBN 978-2-7648-1150-4
I. Titre. II. Collection : Expression noire.

PS8637.E97R56 2016 C843'.6 C2016-940386-6
PS9637.E97R56 2016

Édition : Johanne Guay
Révision et correction : Marie Pigeon Labrecque et Sabine Cerboni
Couverture et mise en pages : Clémence Beaudoin
Photo de l'auteure : Michel Paquet

Cet ouvrage est une œuvre de fiction ; toute ressemblance avec des personnes ou des faits réels n'est que pure coïncidence.

Remerciements
Nous remercions le Conseil des Arts du Canada et la Société de développement des entreprises culturelles du Québec (SODEC) du soutien accordé à notre programme de publication.
Gouvernement du Québec – Programme de crédit d'impôt pour l'édition de livres – gestion SODEC.

Financé par le gouvernement du Canada | Canada

Les Éditions Libre Expression
Groupe Librex inc.
Une société de Québecor Média
La Tourelle
1055, boul. René-Lévesque Est
Bureau 300
Montréal (Québec) H2L 4S5
Tél. : 514 849-5259
Téléc. : 514 849-1388
www.edlibreexpression.com

Dépôt légal – Bibliothèque et Archives nationales du Québec et Bibliothèque et Archives Canada, 2016

ISBN : 978-2-7648-1150-4

Distribution au Canada
Messageries ADP inc.
2315, rue de la Province
Longueuil (Québec) J4G 1G4
Tél. : 450 640-1234
Sans frais : 1 800 771-3022
www.messageries-adp.com

Diffusion hors Canada
Interforum
Immeuble Paryseine
3, allée de la Seine
F-94854 Ivry-sur-Seine Cedex
Tél. : 33 (0)1 49 59 10 10
www.interforum.fr

Parce que les différences représentent
la vie dans toute sa diversité.
Et la vie est un cadeau.

« On peut se passer de religion,
mais pas d'amour ni de compassion. »
Sa Sainteté le dalaï-lama

J'erre dans mon logis, implorant un dieu auquel je ne crois plus, égrenant les minutes me séparant d'une mort qui me délivrerait du joug de ma vie. Car je vis dans un corps qui refuse de mourir, alors que la pourriture qui s'est insinuée dans mon âme l'a dévorée tout entière...

1

Lhassa, Tibet, septembre 1970

Dans leur tente de fortune à l'armature de bois recouverte d'un feutre tendu, Opame préparait le *po cha*, le thé tibétain au beurre de yak rance, pendant que Sengyé rangeait ses outils.

Autrefois, Sengyé était apprenti artisan au palais du Potala et Opame réalisait de menus travaux de couture pour le compte des moines. Leur vie au service du dalaï-lama était simple et centrée sur leurs pratiques bouddhistes. Le soir venu, pour s'amuser, ils imaginaient les enfants qu'ils espéraient avoir un jour ; auraient-ils les yeux d'Opame ou le nez de Sengyé ? Maintenant, chassés du palais par les envahisseurs chinois, ils priaient pour que cessent les cris qui déchiraient les nuits de Lhassa.

À l'extérieur de la tente, Zhou toussota discrètement pour s'annoncer. Sengyé ouvrit le rabat et le fit entrer. Avant de fermer derrière lui, il jeta des regards nerveux à droite et à gauche. Zhou était chinois, mais il n'était pas leur ennemi.

Sengyé avait fait sa connaissance en 1960 alors que le camarade Zhou était en mission à Lhassa. Il l'avait trouvé différent des autres militaires curieux qui visitaient le palais. Le Chinois s'était véritablement intéressé au travail des artisans et de leurs apprentis. Il avait démontré de la finesse, là où d'autres avaient fait preuve de grossièreté et d'ignorance. Le jeune homme, à peine cinq ans plus vieux que Sengyé, avait été ému aux larmes en examinant les fresques et les miniatures. Quand le Tibétain lui avait demandé ce qui le chavirait tant, Zhou avait murmuré : « C'est de savoir que tout ça va disparaître un jour et que ce sera de notre faute. » Puis il avait fixé Sengyé, et le Tibétain sut qu'ils venaient de sceller leur amitié. Car les paroles de Zhou, si elles étaient arrivées aux oreilles du comité central, l'auraient condamné à mort. Depuis que leur camaraderie survivait à l'horreur de l'invasion chinoise, Sengyé en avait appris beaucoup sur Zhou. Fils d'un riche marchand, il avait été élevé dans l'amour de l'art et du négoce. Comme il se plaisait à le dire : « Mon père a fait de moi un redoutable homme d'affaires... avec une âme de poète ! » Le père de celui-ci était un homme futé. Dès 1927, au début de la guerre civile chinoise qui opposait le parti nationaliste, le Kuomintang, et le parti communiste, le Gongchandang, il avait craint l'issue des combats. Il avait alors commencé à exporter ses capitaux. Puis, le conflit s'envenimant, il avait fait des arrangements pour sortir son clan de la Chine. Lorsque la République populaire de Chine fut proclamée en 1959, la cellule familiale au grand complet, oncles, grands-oncles, frères, sœurs, cousins, cousines, avait déjà immigré au Canada. Pour sa part, le paternel avait été incapable de quitter sa terre natale. Sa femme et lui en avaient payé de leur vie. Zhou avait fui à la campagne, où il était devenu le camarade Zhou, né de parents inconnus.

Opame servit le *po cha* et prit place à côté de Sengyé déjà installé près de son ami à leur modeste table de bois.

Zhou prit quelques gorgées de thé au beurre et dit, dans un impeccable tibétain :

— Je pars pour le Canada. Tout est fixé.

Opame sentit le sang se retirer de ses joues.

— Maintenant ?

— Mes alliés disparaissent un à un. Certains sont tués, d'autres emprisonnés. C'est l'heure de l'exil.

Opame agrippa l'avant-bras de son compagnon.

— Vous aussi devez fuir le Tibet, dit Zhou. Vous n'aurez plus personne pour vous protéger.

Sengyé regarda sa femme. La violence des exactions chinoises contre leur culture atteignait des sommets. En dix ans, ils avaient perdu tous les membres de leurs familles respectives aux mains des envahisseurs. Malgré tout, ils refusaient de quitter leur terre natale et espéraient toujours la libération du Tibet et le retour du dalaï-lama.

— Ceux de notre entourage qui ont voulu traverser en Inde sont morts. Nous n'avons personne chez qui nous exiler. Et nos ressources…

Zhou l'arrêta.

— J'ai appris par mes contacts que le gouvernement du Canada allait considérer relocaliser deux cent quarante réfugiés tibétains. Ils cherchent de jeunes couples. Je peux vous aider à passer la frontière en Inde. Par la suite, je demanderai à un membre de ma famille déjà établi à Montréal de parrainer votre installation au Canada.

Opame ne respirait plus.

— Montréal ? parvint à articuler Sengyé.

— C'est au Québec. Une province de l'est du Canada. Ils communiquent en français et en anglais.

Opame ouvrit enfin la bouche.

— Mais on ne parle que le dialecte de Lhassa !

— Vous apprendrez.

Sengyé n'était pas convaincu.

— Il va falloir trouver un emploi dès notre arrivée, si on veut survivre. Comment en dénicher un si on ne connaît pas la langue ?

Zhou sourit.

— Vous travaillerez pour moi.

2

Montréal, décembre 1968

Il avait cinq ans la première fois qu'il s'était senti disparaître.

Ce samedi, sa mère avait commencé par lui préparer le petit-déjeuner qu'il préférait : des œufs à la coque écrasés dans un bol, auxquels elle ajoutait quelques grains de poivre. Contrairement aux autres enfants de son âge, il n'aimait pas les céréales à la mode et encore moins le beurre d'arachides. Le repas terminé, avec un sourire complice, elle lui avait annoncé qu'ils allaient prendre l'autobus et se rendre chez Eaton admirer les vitrines. Elle n'avait cependant pas mentionné le père Noël. Elle savait que son fils ne voudrait jamais s'asseoir sur les genoux d'un gros bonhomme rouge, affublé d'une fausse barbe et d'un rire tout aussi artificiel.

Il l'avait regardée choisir sa toilette. Elle en avait de toutes les couleurs et prenait un soin méticuleux à sélectionner la bonne tenue pour la bonne occasion. Ce matin, elle avait opté pour un tailleur bleu royal, légèrement décolleté, qui mettait en valeur ses yeux violets, sa peau translucide et sa chevelure de jais. Prête, ses lèvres peintes rouge chinois, elle avait paradé devant lui. Il lui avait souri et elle avait espéré que son fils s'intéresse enfin à d'autres vêtements que ses sempiternels pantalons gris, chemises blanches et souliers lacés bruns. L'habiller ne durait jamais plus de cinq minutes. Elle enviait les mères qui pouvaient « catiner » leurs enfants.

Dans l'autobus, il avait vu les regards insistants des hommes. Ces œillades ne lui étaient pas étrangères. Son père avait les mêmes, quand il voulait que sa mère monte se coucher. Il s'était promis de les pratiquer, car cela la faisait toujours rire.

Ils étaient descendus quelques coins de rue avant Eaton ; l'anticipation de voir apparaître la première vitrine faisant partie du plaisir. Sa mère prenait son temps, élégante dans son manteau d'alpaga anthracite qui ondulait au rythme de ses pas. Sa main gantée de cuir cramoisi – si fin qu'on aurait dit une seconde peau – lovait la sienne, emmitouflée dans des mitaines de cachemire gris. Des flocons virevoltaient au-dessus de leur tête, ne s'arrêtant que pour s'échouer sur le sol déjà recouvert d'une mince couche de neige. Il ne l'aurait jamais avoué à sa mère, mais le spectacle qu'offrait la devanture du magasin, reconnu pour ses mises en scène de Noël, lui était indifférent. Il aimait tout simplement être seul avec elle.

À la vue de la première vitrine, elle avait laissé échapper un « Oh ! » d'admiration, suivi inévitablement de multiples « T'as vu ? », auxquels il s'était empressé d'acquiescer pour ne pas la décevoir. Chaque tableau représenté avait été examiné dans ses moindres recoins, suscitant à tout coup les mêmes exclamations, les mêmes interrogations et les mêmes réponses diligentes. Un rituel. Le leur.

La tournée terminée, elle l'avait pour la première fois entraîné à l'intérieur. Il avait été surpris, mais il n'avait pas résisté. Elle en avait tellement envie. À peine entré, il avait compris pourquoi. Il y avait des ornements de Noël partout ! Sur les comptoirs, autour des colonnes, suspendus aux plafonds…

Une foule dense circulait nerveusement dans les allées. Il ne restait plus que quatre jours pour trouver les présents qui feraient étinceler les yeux des êtres chers et videraient les comptes en banque. Eaton avait fait les choses en grand pour aider sa clientèle. Les bijoux avaient été astiqués et brillaient sur les présentoirs, envoûtant les passants comme le chant des sirènes les matelots. Les préposées aux parfums s'amusaient à faire tourner la tête des jeunes hommes en vaporisant de puissants effluves à leur approche. Les garçons d'ascenseur rivalisaient de finesse pour encourager la foule, déjà prête à vendre son âme pour le cadeau idéal, à venir découvrir les trésors cachés aux étages supérieurs. Sa mère n'avait pu résister et ils étaient montés admirer les robes.

Ils déambulaient dans les allées depuis un moment quand elle avait lâché sa main pour examiner le tissu d'une toilette qui lui plaisait. Il avait d'abord senti un vide au creux de sa paume, puis il avait levé le regard et vu le gant rouge virevolter dans les airs comme elle le retirait pour caresser la soie brute de la robe. Le monde s'était refermé sur lui. La foule, qui le dominait, allait et venait à côté de lui comme s'il n'existait pas, le bousculant, l'éloignant de sa mère. Les mannequins, qu'il avait ignorés jusque-là, posaient leurs yeux morts sur lui ou, plutôt, à travers lui. Car il était convaincu qu'il était devenu invisible. Il avait hurlé. Sa mère avait aussitôt allongé le bras entre les passants pour agripper sa main, cherchant du regard ce qui avait pu terroriser son fils à ce point. Quelqu'un avait-il tenté de s'en emparer ? C'était connu que, dans les lieux publics, les trafiquants profitaient de l'inattention des parents pour enlever les enfants. Malgré ses questions, elle n'était pas parvenue à savoir ce qui l'avait tant effrayé. Elle s'était alors contentée de le serrer contre elle, tout en souhaitant secrètement que l'embryon qu'elle portait dans son ventre grandisse pour être différent. Cette pensée l'avait affligée et, coupable, elle avait redoublé son étreinte et ses paroles de réconfort.

Il s'était senti réapparaître.

3

Gerry Desautels passa sa main sur son crâne dégarni, une habitude qu'il conservait du temps où sa chevelure indisciplinée l'obligeait sans cesse à dégager son visage. Tout ce qu'il repoussait maintenant, c'étaient des perles de sueur. « Dérèglement hormonal..., avait grommelé son médecin avant d'ajouter, andropause... Une sorte de ménopause d'homme. » Puis, il lui avait prescrit de la testostérone. Desautels était retourné chez lui honteux. Plus diminué que si on lui avait annoncé que son impuissance érectile était due à un cancer de la prostate. Pourtant, il n'avait jamais affiché sa virilité de façon ostentatoire comme certains de ses congénères. « Il n'a jamais eu peur de son côté féminin », aurait pu témoigner sa conjointe, qui partageait sa vie depuis trente ans, à ses amies du club de lecture. Malgré tout, le diagnostic l'avait atteint au plexus. Il ne serait plus jamais l'homme qu'il avait été. Il devenait vieux. Desautels se secoua. Peut-être est-il temps de passer à autre chose, songea-t-il avant de scanner l'endroit pour finalement arrêter son regard sur Rinzen Gyatso, un petit bout de femme, plantée au centre de la tempête de techniciens s'activant sur les lieux.

Le lieutenant Desautels essuya sa main moite sur son paletot démodé et la rejoignit. Elle était immobile au milieu de l'agitation, ses yeux bridés à moitié fermés. On aurait dit une statue qui respirait ou encore quelqu'un qui avait la capacité de dormir debout. Mais Desautels savait qu'il n'en était rien. Elle absorbait la scène. Cette attitude l'avait frappé lorsqu'il l'avait vue la première fois. Elle a la force de l'inertie, avait-il alors pensé. Et c'était pour cette raison que, quelques années plus tard, elle s'était retrouvée enquêtrice au Bureau des crimes majeurs.

— Gyatso!

Avec le calme dont elle ne se départait jamais, Rinzen se tourna vers son supérieur et attendit la suite.

— Est-ce qu'on sait qui c'est?

— On a rien trouvé dans l'appartement. Pas de carte d'identité, même pas une enveloppe à son nom. J'ai demandé qu'on joigne le propriétaire des lieux. Si c'est le locataire déclaré, on aura une réponse. Sinon...

Desautels prit une grande inspiration et tourna la tête vers la victime. En voyant son état de décomposition, il ne put réprimer un juron. C'était la seule arme qui lui restait pour lutter contre le sentiment d'impuissance qui le gagnait de jour en jour. Par respect pour les états d'âme de son lieutenant – et par pudeur –, Rinzen s'excusa et s'éloigna en direction de son coéquipier, Luc Paradis, un grand efflanqué au physique nerveux. Son habillement – jeans ajustés, baskets hiver comme été et blouson éternellement « dézippé » – mentait sur son âge, mais son visage, marqué par ses nuits d'insomnie, trahissait sa trentaine avancée. À côté de lui, avec sa taille lilliputienne, ses tailleurs sport noirs, ses talons plats et ses trente-cinq ans qui en avaient l'air de vingt-sept, Rinzen faisait contraste. Ils formaient un étonnant duo. Une sorte de *Mutt and Jeff.* Mais en moins drôle, plus moderne et multiculturel. Paradis compta à voix haute sur ses doigts. Rinzen l'interrogea du regard.

— C'est notre septième victime depuis qu'on a commencé à travailler ensemble. C'est pas censé être un chiffre chanceux ?

Rinzen était habituée. Parmi ses camarades qui, en grande majorité, n'auraient pu différencier un visage oriental d'un autre, son origine tibétaine donnait lieu à une foule de suppositions quant à ses connaissances sur les superstitions, les rites religieux et, surtout, les techniques érotiques du soleil levant. Rinzen était tout simplement reconnaissante que Paradis ne l'appelle pas Chow Mein, comme un de ses anciens collègues.

— Pas pour les Égyptiens !

Ses quelques bribes d'éducation religieuse ayant volontairement sombré dans l'oubli, Paradis mit un moment avant de comprendre qu'elle faisait référence aux sept plaies d'Égypte.

Rinzen examina le tableau biblique qui s'offrait à leurs yeux. L'homme pendait du plafond. Ses bras, enchevêtrés dans des lanières de cuir savamment entortillées autour d'une poutre, donnaient l'illusion d'être en croix, malgré la gravité et le poids du corps qui avaient forcé les épaules à s'affaisser inégalement vers le sol. Nu, maigre à faire peur, le visage traversé d'une souffrance indescriptible, l'homme évoquait le Christ en croix. Rinzen désigna le tabouret renversé aux pieds de la victime.

— C'était comme ça quand il a été découvert ?

Sur le plancher, devant le tabouret, gisait également un stylo-bille.

— Oui. Personne a touché à rien.

Rinzen se pencha et inspecta le stylo de plus près.

— C'est un Montblanc.

— À vue d'œil. Mais ça pourrait être une reproduction…

Paradis regarda la victime et suggéra sans trop y croire:

— Suicide?

Rinzen n'offrit pas d'opinion. Plutôt, elle photographia mentalement le crucifié et tourna son attention sur le deux pièces qui lui servait de logis. La bâtisse était âgée, mais l'appartement avait déjà eu du style, car quelqu'un s'était donné le trouble de dénuder les fermes de toit pour en révéler la beauté architecturale. Peine perdue au fil des propriétaires et locataires. L'endroit était dans un état de décrépitude avancée. Traces de moisissures au bas des murs, peinture jaunie, planchers craquelés. L'ameublement spartiate avait lui aussi connu de meilleurs jours. Elle pénétra dans la seconde pièce qui servait de chambre à coucher. Store déchiré et draps tachés. Une porte ouvrant sur une garde-robe à peu près vide et une autre donnant sur une minuscule salle de bain. Cuvette encrassée, rideau de douche qui rivalisait avec cette dernière et une petite pharmacie contenant un tube de dentifrice éventré, une brosse à dents presque sans poils et un rasoir jetable. Le tableau complet, Rinzen retourna dans la pièce qui servait de salon, cuisine, salle à manger et maintenant de sépulture.

— Et? demanda Paradis.

Rinzen détailla l'homme «crucifié». Malgré son état de décomposition, elle pouvait voir que la crasse s'était infiltrée jusque dans les replis de sa peau pendante. Le vieux corps émacié n'avait pas connu d'amour depuis longtemps.

— La victime avait cessé de vivre bien avant sa mort.

4

Desautels piétinait sur le trottoir devant l'édifice décati de la rue Sainte-Catherine Est, où le corps avait été découvert. Malgré la neige, qui n'annonçait généralement pas un froid polaire, la température avait chuté depuis la veille, suffisamment pour lui faire regretter de ne pas avoir sorti ses bottes d'hiver plus tôt. Il avait les pieds gelés.

Paradis et Gyatso, qui étaient allés cogner aux portes voisines, vinrent le rejoindre. Encore une fois, le lieutenant s'étonna de l'impassibilité de Rinzen. Le froid mordant ne semblait pas l'incommoder.

— Les voisins déclarent ne pas avoir connu la victime, dit Paradis.

Desautels grimaça.

— Il devait bien sortir pour faire ses courses !

Paradis, qui n'avait pas fermé son blouson, malgré la température, haussa les épaules. Le lieutenant se demanda si c'était parce qu'il était sans réponse ou si c'était pour se réchauffer.

— Personne se rappelle avoir vu un vieux dans les quatre-vingts ans traîner dans le coin ? s'impatienta Desautels. C'est quand même étrange.

Rinzen était perdue dans ses pensées.

— Gyatso ?

— Désolée... Je revisitais mentalement la scène. Plusieurs choses... me dérangent.

— Avez-vous des hypothèses ?

Son regard glissa de Rinzen à Paradis. Celui-ci s'avança le premier.

— J'sais que le tabouret renversé à ses pieds donne l'impression d'un suicide, mais est-ce que ça se peut ? Comment il a fait pour s'attacher comme ça ? Pour moi, c'est une mise en scène. Et pas très convaincante, si vous voulez mon opinion.

Desautels regarda Rinzen.

— C'est ça qui t'agace ?

Elle réfléchit avant de dire :

— Oui et non. L'état du corps...

— Son état de décomposition ?

— Non... Sa maigreur, la saleté visible sous ses ongles, dans les plis de sa peau...

Luc et Desautels la fixaient.

— Si c'est un meurtre... la mort devait être bienvenue.

Paradis contempla l'idée.

— Une sorte de suicide assisté ?

Desautels tiqua.

— Attendons de voir ce que la collecte d'indices nous racontera avant de trancher. J'sais que les techniciens ont trouvé une couple d'empreintes différentes...

Rinzen et Paradis acquiescèrent.

— Avec le résultat de l'autopsie, continua Desautels, on saura exactement ce qui l'a tué.

— À part être accroché à une poutre les bras en croix, le vieux avait pas l'air d'avoir d'autres blessures. Est-ce qu'on peut mourir de ça ?

Paradis avait posé la question à Desautels.

Rinzen toussota. Les deux hommes se tournèrent vers elle.

— C'est juste une impression... mais j'ai le sentiment qu'il est mort de faim.

Paradis secoua la tête de découragement. Desautels songeait qu'il était grand temps de prendre sa retraite quand il remarqua l'expression étrange de Rinzen.

— T'as une idée, Gyatso ?

Rinzen se ressaisit.

— La scène me fait penser à un de mes vieux haïkus.

Elle récita :

Arbres verglacés
Prières muettes dans le noir
Chansons d'agonie.

Desautels et Paradis fixaient Rinzen, la bouche grande ouverte. Elle sourit.

— C'est une forme de poème japonais. Comme un polaroïd poétique. Une épiphanie en mots ! C'est très zen. Vous devriez essayer. C'est un excellent passe-temps et ça aide à clarifier l'esprit.

Desautels et Paradis échangèrent un regard qui en disait long sur la « clarté » des haïkus.

Je consignerai tout dans ce cahier. Si Dieu existe, il me pardonnera. Car s'il est le Créateur de l'Univers, il a aussi créé les monstres.

5

Rinzen s'arrêta au coin des rues De La Gauchetière et Saint-Urbain et contempla les immenses flocons de neige qui exécutaient une danse folle dans le ciel de la ville. Elle adorait Montréal dans la tempête. Encore davantage le soir. Le bruit étourdissant disparaissait au profit d'un silence feutré, coupé uniquement par le hurlement étouffé des sirènes et les craquements de la neige crissant sous les semelles. Elle ouvrit la bouche et tendit la langue. Un flocon s'y déposa, léger comme une prière au vent. Cela la fit sourire et elle reprit son chemin.

Rinzen survivait à son métier parce qu'elle parvenait à ne pas laisser son travail contaminer sa vie privée. Elle avait l'étonnante capacité d'exister presque entièrement dans le moment présent. Ses pratiques méditatives l'avaient conduite là. Des pratiques ancestrales, transmises depuis l'enfance par ses parents bouddhistes et auxquelles elle s'était souscrite, en dépit de son éducation dans des écoles primaires catholiques ; car Rinzen était née au Québec, dix ans après que son père et sa mère eurent fui le Tibet et les envahisseurs chinois.

Elle fit quelques courses avant de rentrer dans l'appartement qu'elle habitait rue Clark avec Sashi, son fils de cinq ans, sa mère Opame et son père Sengyé. Ses parents, qui désespéraient de ne jamais avoir d'enfant, avaient cru à un miracle lorsque, à quarante-quatre ans, Opame avait enfin donné naissance à Rinzen, « celle dotée d'une grande intelligence ».

— Maman !

Sashi se précipita dans les bras de Rinzen et faillit la renverser.

— Ver de terre ! lança affectueusement sa grand-mère en le voyant faire. C'est comme ça qu'on va t'appeler, si tu n'arrêtes pas de te tortiller.

Sashi s'esclaffa, délaissant sa mère pour courir dans les bras d'Opame. Rinzen fit mine d'être contrariée, mais la vérité est qu'elle avait besoin de se laver avant de plonger complètement dans sa vie familiale. Sa pensée avait beau être dans le moment présent, sa peau dégageait des relents de décomposition dérobés à la scène de crime.

— Tu peux t'en occuper encore un peu le temps que j'prenne un bain ?

Pour toute réponse, sa mère chatouilla Sashi, qui éclata de rire. Rinzen traversa la pièce d'entrée, qui servait également de salon, et longea le corridor qui menait aux chambres, à la cuisine et à la salle de bain. En passant devant la chambre de ses parents, elle vit son père, installé sur son coussin de méditation.

— *Om, maṇi padme hūm… Om, maṇi padme hūm… Om, maṇi padme hūm…*

Quand on entrait dans l'appartement de la rue Clark, on pénétrait au Tibet. Les couleurs vives, les bouddhas disséminés un peu partout, les moulins à prières, mais aussi le train-train quotidien, le thé au beurre, les tsampas, les flacons de médecine tibétaine, les pratiques bouddhistes de chacun… Quarante-cinq ans s'étaient écoulés depuis que ses parents avaient fui Lhassa comme des voleurs dans la nuit et pas une seule journée depuis son père n'avait cessé d'espérer y retourner. Il ne s'était jamais habitué à la vie occidentale. La réalité simple du Tibet lui manquait.

Dix ans après leur arrivée, le Tibet toujours sous domination chinoise, il avait bien failli convaincre sa femme de s'installer au Ladakh ; une région du nord de l'Inde surnommée « petit Tibet », où la population pratiquait le bouddhisme tibétain. Mais Opame était tombée enceinte et ils n'en avaient jamais reparlé. Seule la libération du Tibet exaucerait les vœux de l'homme. Mais l'occupation des Chinois persistait depuis 1950, les Tibétains d'origine étaient décimés à quatre-vingts pour cent et pas un seul gouvernement ne levait le petit doigt pour les aider. Pas de pétrole, pas de métaux précieux... Pourquoi irriter la Chine alors que les seuls enjeux étaient de sauver une nation et sa culture ?

Le regard de Rinzen dériva sur les drapeaux de prières, de petites pièces de tissus colorés, reliées entre elles par un cordon et sur lesquelles étaient inscrites les suppliques. Son père les avait accrochés au mur du fond. Les drapeaux auraient dû flotter au vent sur un balcon ou dans une cour, pour que les formules sacrées se dispersent dans l'espace, mais l'unique appartement que Rinzen avait eu les moyens de payer n'avait ni l'un ni l'autre. À cette pensée, elle soupira et s'éloigna vers la salle de bain.

Sa réflexion remuait plus de choses en elle qu'elle ne l'aurait souhaité. Elle lui rappelait l'absence du père de Sashi. Son amour pour cet homme avait été immuable. Malgré les objections de ses parents. En dépit de son attachement à ses origines. C'était lui qui l'avait entraînée dans ce métier qui les nourrissait maintenant. Il lui avait expliqué que le monde avait besoin de sa lumière. Ironiquement, celle-ci avait failli s'éteindre quand il avait été atteint d'une balle perdue lors d'une fusillade. Elle était enceinte de quatre mois. Son enfant ne connaîtrait jamais son père.

Rinzen prit une grande inspiration et s'assit sur le rebord de la baignoire. Elle ouvrit le robinet et ajusta la température de l'eau en agitant sa main sous le jet. Elle aimait la sensation du liquide qui filait entre ses doigts. Plus que tout, elle admirait la sagesse du courant, comme il ne tentait jamais de résister et trouvait toujours le moyen de contourner les obstacles. Le tableau de l'homme crucifié remonta à la surface de sa mémoire. Elle le contempla quelques secondes. Ne pas se braquer, songea-t-elle. Laisser le regard glisser au-delà des apparences…

Puis, elle ferma le robinet, se dévêtit et coula dans l'eau apaisante du bain.

6

Luc ralentit et gara sa voiture devant le Jab-Jab. Malgré la tempête et l'heure tardive, la rue Sainte-Catherine à l'est de Papineau était encore grouillante de monde. Gais qui débordaient de leur quartier, prostituées, artistes, touristes en mal de saveur locale, loups solitaires, travelos, adolescents fugueurs, *bums* en quête d'action... Un mélange explosif.

Luc jeta un coup d'œil à l'enseigne lumineuse du Jab-Jab qui clignotait et grésillait, annonçant sa mort prochaine. Il prit mentalement note de s'enquérir du coût pour la remplacer et monta les marches de l'escalier intérieur menant au petit studio de boxe que son ami de longue date avait ouvert pour « Aider les jeunes dans le trouble... et avoir le plaisir de tabasser son ami Luc ! », comme il se plaisait à raconter. Denis Saint-Onge, maintenant dans la soixantaine, avait fait un peu de boxe amateur dans sa jeunesse. N'ayant pas le calibre d'un champion, il s'était rapidement consacré à entraîner des boxeurs plus prometteurs que lui. Il ne l'avait jamais regretté. En cours de route, il avait sauvé des dizaines de jeunes de la rue. Luc, le premier.

— Salut, *man* !

Saint-Onge, qui n'avait jamais vraiment quitté sa période hippie, s'exprimait encore dans la langue vernaculaire de l'époque, fumait son petit joint pour se détendre et prêchait le *peace and love* entre deux coups de poing.

— Salut !

— C'est pas de bonne heure pour toi ?

Le centre fermait généralement ses portes à minuit, mais Luc, qui avait une clé, pouvait s'y entraîner quand il le désirait. La plupart du temps, c'était la nuit.

— J'suis venu pour ton gars... Celui qui s'est fait passer au cash.

Saint-Onge hocha la tête et pointa le menton vers un jeune homme fragile, planté dans un coin, avec un œil au beurre noir qui occupait la moitié de son visage.

— *Man*... Quand j'vois ça, j'ai de la misère à m'imaginer qu'on est au vingt et unième siècle. Plus on avance, plus on recule. J'sais pas ce qui se passe... Depuis un bout de temps, on se croirait au Mississippi dans les années cinquante. Ils vont finir par en lyncher un.

— J'sais...

— Non, mais... *Man* ! Est-ce qu'on est vraiment en 2015 ?

— Si t'avais vu ce que j'ai vu aujourd'hui... Tu te penserais au temps des Romains.

Saint-Onge l'interrogea du regard.

— Le mort était crucifié.

— Quoi ?

Luc croisa les pieds, laissa sa tête pendre sur le côté et allongea les bras à l'horizontale pour imiter la crucifixion. Saint-Onge rit.

— C'est toi, le « p'tit crisse ».

Luc lui asséna un jab amical sur l'épaule et le délaissa pour rejoindre le jeune qui, pour l'instant, avait davantage l'air d'un moineau effrayé que d'un boxeur en devenir.

— Jonathan ?

— Oui…

— Moi, c'est Luc Paradis. J'suis ton entraîneur.

Paradis tendit la main. Jonathan hésita, mais finit par se résigner et l'empoigna.

— Faut améliorer ça. C'est un peu mou comme poigne.

Le jeune eut une réaction inattendue. Il contourna Luc en vitesse pour s'enfuir vers la sortie. Il fut rattrapé en moins de trois secondes par ce dernier qui lui barra le chemin.

— Woh ! Vas-tu m'expliquer ce qui se passe ?

Mais Jonathan n'était pas près d'éclaircir quoi que ce soit. Il était paniqué. Il avait de la difficulté à respirer et était au bord des larmes. Saint-Onge accourut vers eux.

— Tout est cool, Jonathan. T'es en sécurité. Calme-toi.

L'intervention de Saint-Onge semblait avoir son effet. La crise de Jonathan se résorbait. Denis interrogea Luc du regard, mais ce dernier lui fit signe qu'il ne comprenait pas ce qui s'était passé. Il planta ses yeux dans ceux du jeune homme.

— Tu connais mes conditions. *The truth, the whole truth and nothing but the truth…*

— La vérité ? Ton gars rit des fifs !

— Quoi ?

— Il m'a traité de poigne molle ! Ça va être quoi après ? Poignet cassé ?

Denis et Luc ne purent s'empêcher d'éclater de rire, ce qui désarçonna le jeune. Une fois calmé, Luc dit :

— Pauvre garçon ! J'peux pas rire des « fifs ». J'en suis un !

Si à ce moment Jonathan avait pu voir son expression dans un miroir, il aurait ri lui aussi.

— T'es tapette et t'es police ?

Luc secoua la tête et regarda Saint-Onge.

— J'peux pas croire que j'ai déjà été comme lui.

Son ami pouffa de rire.

— T'étais pire.

Luc entoura les épaules de Jonathan, puis le dirigea au fond de la salle derrière le ring, où quelques boxeurs s'entraînaient sur des sacs de frappe.

— Première leçon… T'es pas « fif », « tapette », « pédé » ou « homo »… T'es gai. Ou homosexuel. C'est comme tu veux. Le respect, c'est comme la charité… Ça commence par soi-même !

7

Desautels était calé contre deux gros oreillers de plume dans son lit et terminait la lecture d'une des nombreuses notes de service qu'il recevait chaque jour. S'ils les avaient toutes lues pendant ses heures d'ouvrage, il n'aurait jamais pu sortir du bureau pour aller sur le terrain. C'est pourquoi, chaque soir, il se tapait une pile de notes, qui seraient pour la plupart désuètes le mois suivant, pendant que sa femme lisait un roman à ses côtés.

— L'as-tu lu ?

Elle lui indiqua le titre inscrit sur la jaquette : *Violence à l'origine.*

— Tu sais bien que non.

— Tu devrais. Michaud pose une question intéressante : « Peut-on vouloir le mal pour faire le bien ? » Puis, ça parle de crimes.

— Ça parle toujours de crimes dans tes livres.

Sa femme sourit.

— J'ai un faible pour les enquêteurs…

Desautels grogna.

— Vas-tu le lire ?

— Si j'trouve le temps.

Il ne trouvait jamais le temps, bien entendu. Mais sa femme n'abandonnait pas. Elle disait à qui voulait l'entendre : « Ça prend un seul livre pour donner le goût de lire. Il faut juste trouver le bon. »

Desautels déposa sa pile de papiers sur la table de chevet et sortit du lit.

— Où tu vas ?

— J'ai des brûlements d'estomac. J'vais prendre des Tums.

Desautels laissa sa femme à sa lecture et descendit à la cuisine. Il adorait la petite maison à deux étages qu'ils habitaient à Crawford Park, le Westmount de Verdun. Originaire du quartier pauvre de la ville, il avait passé presque tous les dimanches de son enfance à y faire des « tours de machine » avec son père. L'homme fantasmait d'y demeurer un jour. Mais il était mort sur la rue Church, là où il était né. À l'opposé de son rêve verdoyant.

Desautels jeta un coup d'œil dehors par la fenêtre de la cuisine, celle qui donnait sur le côté de la maison. De son poste d'observation, il voyait le sapin de Noël qu'ils avaient installé sur le parterre avant. Sa rue était bourrée de décorations. Un véritable festival de lumières et de comptes d'électricité hallucinants. Quand même, songea-t-il, c'est beau sous la tempête. Puis, incommodé, il se frotta l'estomac. La douleur s'accentuait au fil des enquêtes. Je digère plus mon métier, conclut-il en grimaçant et en étirant le bras pour agripper la bouteille de comprimés que sa femme avait rangée sur la tablette supérieure de l'armoire dans le coin de la cuisine. Il retira le bouchon, puis compta trois cachets qu'il croqua aussitôt. D'ici cinq minutes, les aigreurs disparaîtraient. Malheureusement, le souvenir de l'homme trouvé crucifié dans son « salon-cuisine-salle-à-manger-maintenant-cercueil » ne s'effacerait pas de sa mémoire. Il irait rejoindre l'exposition permanente dans son cerveau des quelque six cent cinquante autres tableaux de morts violentes dont il avait été témoin depuis le début de sa carrière.

Pour accélérer l'effet des pilules, Desautels déambula dans la pénombre du rez-de-chaussée, éclairé par la blancheur de la tempête extérieure qui réfléchissait la lumière des réverbères. La noirceur ne lui faisait pas peur. Il avait compris depuis longtemps que le mal ne vivait pas dans les ténèbres. Il existait au grand jour, là où personne ne le cherchait. Un père aimant qui abusait de son fils, une épouse dévouée qui empoisonnait son mari un chocolat chaud à la fois, un ami d'enfance qui battait sa femme entre deux parties de balle molle... Bien sûr, il y avait le crime organisé, les gangs de rue, mais là encore, on ne pouvait pas dire qu'ils étaient tapis dans le noir à attendre. Le taxage dans les écoles, la prostitution à huit heures du matin sur les artères du centre-ville, la drogue dans les parcs et les centres sportifs, les enveloppes brunes tendues aux politiciens...

Desautels soupira et se laissa choir sur son La-Z-Boy. Sa pensée dériva encore quelques instants sur sa théorie des crimes commis à la lumière du jour, mais il était trop futé pour ne pas savoir que, ce soir, il tentait de se leurrer lui-même. L'affaire du crucifié n'avait rien à voir avec les transgressions usuelles. Il le sentait.

Et c'est ce sentiment acide qui lui tenaillait l'estomac.

8

Montréal, Québec, juillet 1969

Ses parents l'avaient ramené à la maison quelques semaines plus tôt. Un paquet de six livres, deux onces. Une petite chose qui pleurait sans arrêt, nécessitant sans cesse l'attention de sa mère. Un intrus qui lézardait son bonheur.

Ses parents avaient officiellement fait les présentations. « C'est ton nouveau frère », avait dit fièrement son père. Sa mère avait chuchoté son prénom, comme s'il s'agissait d'un mot d'amour. Il n'avait pas cherché à le retenir. Il l'appellerait l'Autre. Celui qui n'était pas lui...

Bien sûr, il ressentait de l'affection pour l'Autre. Quand il se penchait au-dessus de son berceau et qu'il plantait ses grands yeux innocents dans les siens... Après tout, le même sang circulait dans leurs veines. L'Autre était aussi une extension de lui. Mais le sentiment était fugace. Comme un parfum dont on ne reconnaît pas les effluves et qui s'évapore dans l'air avant qu'on puisse l'identifier.

Quand sa mère daignait s'éloigner de lui quelques secondes, il s'approchait de lui et s'efforçait de l'observer, pour essayer de comprendre ce qui les distinguait. Ce qui le rendait si précieux aux yeux de sa mère et de son père. Ce qui justifiait qu'ils clament, à qui voulait l'entendre, que son frère était : « Un cadeau du Bon Dieu ! » Qu'était-il, lui ? Une blague du Diable ? Sa mère avait déjà pris soin de lui expliquer la différence entre Dieu et le Diable.

Certains jours, pourtant, il croyait que tout irait pour le mieux. Sa mère lui préparait ses œufs préférés. Elle le complimentait sur sa chambre rangée. Elle l'emmenait faire les courses avec elle. Dans ces moments, il aimait l'Autre. Il lui arrivait même, au retour, de jouer avec lui. Même s'il ne comprenait pas ce qui pouvait tant amuser l'Autre dans le fait de se faire insérer en boucle une suce de caoutchouc dans la bouche.

Ces faux bonheurs n'avaient pas duré. Et les crises avaient commencé.

Il hurlait à fendre l'âme. Ça pouvait se poursuivre pendant des heures. À ses hurlements s'ajoutaient les cris et les pleurs de l'Autre. Sa mère ne savait plus à quel saint se vouer. Sa propre mère n'était d'aucun soutien. Elle était aussi dépourvue de moyens que sa pauvre fille. Quant à ses amies… Elles étaient devenues inexistantes. On fuyait leur demeure comme la peste. Elle avait tenté de parler de la situation à son mari. Celui-ci, psychiatre de profession, avait jugé que le comportement de son fils était normal. « Il a simplement de la difficulté à s'adapter à la naissance de son frère », avait-il conclu. Elle lui avait dit qu'il était trop souvent absent de la maison pour comprendre et l'avait imploré de le faire examiner par un de ses confrères. Bien sûr, son mari croyait qu'elle exagérait, mais il avait fini par céder et avait accepté d'emmener leur aîné consulter un ami pédopsychiatre.

La visite s'était bien passée. Il s'était comporté « comme un grand » et son père lui en avait été reconnaissant. Avant qu'ils ne quittent le bureau, le thérapeute lui avait donné un livre d'images intitulé *Mon grand frère, mon héros* et il lui avait demandé s'il pouvait patienter dans l'antichambre, le temps qu'il discute avec son père. Là encore, il n'avait offert aucune résistance et il était allé sagement s'asseoir de l'autre côté. Il aimait cette attention qu'on lui accordait. Ça le réconfortait.

Quand ils étaient revenus à la maison, sa mère les attendait dans le salon. Elle l'avait accueilli à bras ouverts, le serrant fort contre elle ; coupable de penser le pire de son fils. Elle avait levé un visage anxieux vers son mari. Sur ses lèvres, elle avait lu un « Ça va aller », qui l'avait fait éclater en sanglots.

Il se doutait qu'il y avait un rapport entre ses crises et la visite chez le pédopsychiatre. Comme il savait que ses cris étaient liés à l'Autre. Ce n'est pas qu'il ne voulait pas adorer son frère. Sa mère aurait tant souhaité qu'il le fasse. Mais chaque heure, chaque minute de son existence lui volait une parcelle de la sienne.

Il n'avait que six ans et ne comprenait rien à ce qu'il lui arrivait, mais il était convaincu que si l'Autre continuait d'exister, il finirait par disparaître complètement.

9

Rinzen salua ses parents et déposa deux becs sonores sur les joues de Sashi avant de quitter le calme de leur appartement de la rue Clark pour plonger dans le tourbillon du trafic matinal, qui inondait les grandes artères traversant le quartier chinois. La tempête de la veille avait à moitié bloqué les rues, déjà encombrées de bancs de neige et de glace, vestiges de la dernière tourmente.

Rinzen décida de longer le boulevard René-Lévesque jusqu'à la rue Saint-Denis, puis remonter à pied vers le nord jusqu'à Rosemont. Avec les pannes de métro annoncées et les avenues congestionnées, ce serait plus rapide et elle avait besoin de se vider la tête. Sur Rosemont, elle serait alors à quelques coins du café où Luc lui avait donné rendez-vous.

Une fois la rue Sherbrooke dépassée, elle se laissa volontairement divertir par les vitrines de la rue Saint-Denis. Elle occupait sa tête ailleurs, pendant qu'elle permettait à son subconscient de travailler en paix. La question était posée : pourquoi avait-elle la désagréable sensation de ne pas avoir observé la scène avec la bonne perspective ? La réponse viendrait en temps voulu.

Les devantures ne la distrayant plus, Rinzen se mit à examiner les passants qu'elle croisait. Le visage de Montréal avait changé depuis sa naissance. Et quand elle y pensait, elle ne pouvait imaginer à quel point ses parents, débarqués à Montréal en 1971, avaient été dépaysés. La différence culturelle entre le Tibet et Montréal...

Rinzen sourit en songeant à l'ironie de leur situation. Quitter le Tibet envahi par les Chinois pour aboutir dans le Chinatown de Montréal. Ses parents ne s'étaient pourtant jamais plaints. L'ami Zhou les avait installés dans un petit appartement au-dessus de l'épicerie qu'il possédait avec son oncle, rue Saint-Laurent. Ce dernier y avait habité avant de déménager dans la banlieue sud de Montréal, comme le faisaient, à cette époque, la plupart des propriétaires de commerces du quartier. Sengyé et Opame avaient trouvé du travail en bas et ils avaient pu se refaire une vie.

Rinzen était arrivée au lieu de rendez-vous et elle n'avait toujours pas réussi à comprendre ce qui l'agaçait au sujet de la scène de la veille. Elle relégua la question à plus tard et pénétra dans le café. Luc l'attendait, le teint blême et le cheveu hirsute.

— Moi, j'ai passé la nuit à soigner un enfant de cinq ans qui avait mal au ventre. C'est quoi ton excuse ?

Luc sourit.

— Un beau grand roux avec un corps d'enfer. Je t'ai commandé un café.

Rinzen s'assit et prit une gorgée. Luc sortit un bout de papier de sa poche et le promena devant son visage.

— J'ai le nom du locataire.

— C'est notre homme ?

Elle s'empara de la pièce.

— Congrégation des Frères de Saint-François ?

Rinzen regarda Luc.

— T'as bien lu. Le proprio reçoit un chèque tous les premiers du mois. Il a jamais eu à se plaindre de rien.

— Est-ce que ça a un rapport avec les Franciscains ?

— J'pense pas. Ça semble être une des petites communautés qui pullulaient dans les années cinquante et qui sont en voie de disparition. Le propriétaire m'a donné une adresse dans Rosemont. J'ai vérifié sur Google Street… On dirait un bloc à appartements.

— Un bloc ? On est loin des maisons cossues des Sœurs de la congrégation Notre-Dame.

Rinzen se leva.

— On est à côté. On est mieux d'y aller à pied.

— Oublie ça. J'veux pas ruiner mes *runnings* dans la *slush*.

— Si tu portais des bottes comme tout le monde…

Luc lui lança un clin d'œil.

— Mais j'suis pas comme tout le monde !

— T'es pas humain ?

Luc rit.

Dès qu'ils avaient commencé à enquêter ensemble, Rinzen avait deviné qu'il était gai. Les regards obliques qu'il lançait aux passants qui lui plaisaient avaient vendu la mèche. Sa différence, comme il le disait parfois, il ne l'avait pas niée quand elle lui avait posé la question, mais il n'en faisait pas étalage au poste. Elle le comprenait. Si elle avait pu effacer sa minorité visible sur commande, sa vie de policière aurait été plus facile. Les mentalités changeaient, mais au pas d'escargot.

10

Rinzen et Luc étaient plantés devant l'immeuble de la congrégation des Frères de Saint-François et se demandaient sérieusement s'ils n'avaient pas la mauvaise adresse. L'édifice, qui devait contenir six appartements, était dans un état de délabrement avancé. Le revêtement de briques était lézardé, les joints tenaient par magie, les balcons étaient finis... Pas l'image habituelle d'une résidence de communauté religieuse.

Luc passa devant Rinzen et pénétra dans l'immeuble, dont la porte d'entrée n'était pas verrouillée. Il se dirigea vers les boîtes aux lettres.

— Le concierge est dans l'appartement numéro un.

Rinzen regarda autour d'elle.

— Il y a un demi-sous-sol. Le un doit être en bas.

Ils descendirent les marches. L'air était insalubre.

— Tu me pognerais pas pour rester dans cette misère-là. J'aimerais mieux vivre dans la rue.

Rinzen appuya sur la sonnette du concierge. La porte s'ouvrit quelques secondes plus tard.

— Comment puis-je vous être utile ?

L'homme qui se tenait devant eux devait avoir dans les soixante-dix ans. Il remarqua la mine ahurie des enquêteurs.

— Concierge… c'est pour que les gens sachent où sonner.

Rinzen hocha la tête et montra son badge.

— Rinzen Gyatso, Police de Montréal. Mon collègue… Luc Paradis.

— Oh…

— C'est bien ici la congrégation des Frères de Saint-François ?

Il acquiesça.

— Je suis le frère Théodore… Le supérieur de la communauté.

Rinzen était pleine de compassion pour ce pauvre homme qui finirait ses jours dans un endroit aussi lugubre et malsain.

— Ça doit pas être facile pour une petite communauté comme la vôtre de survivre.

Le frère sourit tristement.

— La déconfessionnalisation des écoles nous a amenés sous le seuil de la pauvreté.

— J'comprends pas…

Luc avait été rude. Rinzen posa sa main sur son avant-bras. Ce qui voulait dire : « J'connais ton rejet des religions, mais on arrivera à rien si tu montes sur tes grands chevaux. »

— La communauté était composée de frères qui étaient également des prêtres. On servait de confesseurs dans les écoles qui étaient sous la direction de religieuses ou de laïcs. On assurait aussi l'enseignement religieux dans certains établissements scolaires. Ces maigres revenus s'ajoutaient à la pitance qui nous était consentie par le Vatican. Mais c'était suffisant. On avait quand même fait un vœu de pauvreté…

Luc regarda Rinzen, qui demanda :

— Est-ce qu'il y a encore beaucoup de membres dans votre communauté ?

— On est sept. J'suis le plus jeune.

Rinzen hocha la tête.

— Frère Théodore…

Elle cherchait la façon la plus délicate d'annoncer au frère Théodore qu'elle croyait que son groupe venait de perdre un autre de ses membres.

— On a un bail, signé par un représentant de la congrégation, pour un appartement situé sur la rue Sainte-Catherine Est.

Luc montra le document au frère Théodore. Il le prit et l'examina en silence. Après un moment, il releva la tête et dit :

— Si vous êtes ici, c'est que Samuel Clément est mort.

11

Rinzen et son coéquipier avaient attendu que le frère supérieur se remette de l'annonce de la mort d'un de ses confrères avant de recommencer à l'interroger. Le décès de Samuel Clément, bien que cela n'ait pas semblé le surprendre outre mesure, l'affectait visiblement beaucoup.

Après avoir rendu le bail à Paradis, le frère Théodore les avait invités à l'intérieur, où il les avait ensuite fait passer au salon, qui était meublé d'une causeuse ayant connu des jours plus heureux et d'une chaise longue de jardin servant apparemment de fauteuil inclinable. Rinzen et Paradis avaient pris place sur le canapé, pendant que le religieux était allé se chercher de l'eau dans la cuisinette à l'arrière. De retour au salon, il était resté debout à trembler et à siroter sa boisson à petites gorgées. Rinzen le soupçonnait d'avoir ajouté un fortifiant à son eau.

— Frère Théodore…

Il la regarda.

— Pouvez-vous nous indiquer le lien qu'avait Samuel Clément avec votre communauté ?

Les yeux de l'homme s'embuèrent.

— C'était un de nos membres.

Luc échangea un regard avec Rinzen, puis demanda :
— Était ? Vous voulez dire qu'il avait défroqué ?
Il acquiesça. Luc fronça les sourcils.
— Mais vous payiez son appartement…
Théodore fixa Luc un moment avant de répondre :
— Le frère Samuel avait quatre-vingt-trois ans lorsqu'il a quitté l'ordre. Auriez-vous abandonné à son sort un vieillard sans le sou et sans moyens ?
Rinzen posa un regard compatissant sur l'homme avant de poursuivre.
— Attendre cet âge pour défroquer… Il fallait qu'il vive un bouleversement profond.
Le frère Théodore avala d'un trait le restant du contenu de son verre.
— Samuel était troublé depuis longtemps.
Paradis et Rinzen avaient compris l'importance de ce qu'il allait leur révéler et qu'il ne fallait pas le brusquer. Luc s'éclaircit la gorge avant de suggérer :
— L'approche de la mort… Ça peut être un puissant moteur. On doit s'interroger sur nos croyances…
Le frère eut un sourire en coin.
— Vous croyez, sergent, que devant la mort l'être humain choisit d'abandonner sa foi ?
— J'pense que les convictions sont ébranlées. On doit se demander, quand on a eu la foi toute sa vie, si c'est vrai. Si elle existe vraiment, cette vie éternelle…
— Vous avez raison. La peur noue les entrailles à l'approche du grand départ, mais je peux vous assurer que la majorité des gens préfèrent continuer de croire en ce qu'ils ont cru toute leur existence. Si ce n'est que pour faire taire la peur. J'ajouterais aussi que plusieurs se découvrent une foi pour les mêmes raisons. L'homme vit d'espoir…
Rinzen prit le temps de réfléchir aux propos du frère.

— Vous avez dit qu'il était troublé depuis longtemps. Vous ne parliez pas de jours ou de mois. Vous faisiez référence à des années, n'est-ce pas ?

Il hocha la tête.

— Des dizaines ?

Il se laissa choir sur le bout de la chaise de jardin.

— Samuel vivait dans la tourmente depuis plus de trente ans.

Le silence s'alourdit autour d'eux. Luc serra les mâchoires.

— Qu'est-ce qui le tourmentait ? Le Diable ? Les femmes ? Les jeunes garçons ?

Luc avait appuyé sur les derniers mots. Le frère planta ses yeux dans les siens.

— J'comprends que les dénonciations récentes vous poussent à croire le pire des communautés religieuses… Je ne vous blâme pas. Mais soupçonner Samuel Clément de pédophilie… C'est un affront à sa mémoire.

Il s'était levé et se dirigeait vers la sortie. Rinzen et Luc en firent de même.

— Mon collègue a pas voulu vous offenser. Quand on est enquêteur, il faut parfois poser des questions « difficiles ».

Théodore avait ouvert la porte, mais il semblait s'être dégonflé.

— Non, c'est à moi de m'excuser. Vous ne faites que votre travail.

Rinzen risqua une dernière demande.

— Cela nous serait utile si vous pouviez nous donner une idée de la nature de son trouble…

— Si je l'avais su, j'aurais peut-être pu l'aider. Mais il était enfermé dans un enfer, auquel il se sentait incapable d'échapper. Un tourment si…

L'homme s'interrompit et fixa Rinzen.

— Pourquoi vous me posez ces questions-là ? De quoi est mort Samuel ?

Rinzen inspira profondément avant de répondre :

— Les causes de son décès sont pas encore déterminées.

Le religieux continuait de la regarder. Rinzen poursuivit à contrecœur.

— On croit qu'il pourrait s'agir d'un meurtre.

Le frère Théodore dut s'accrocher au cadre de porte pour ne pas tomber.

Je chérissais ce rêve depuis ma tendre enfance et le voilà qui se matérialisait. J'allais consacrer ma vie à Dieu. J'étais heureux. J'accédais enfin au sacerdoce. Mon bonheur était identique à celui du marié le jour de ses noces. Je croyais ne jamais perdre ce sourire accroché à mes lèvres. Je ne savais pas qu'un jour j'allais le rencontrer...

12

Desautels écoutait le message de sa femme sur son portable quand Rinzen et Luc le rejoignirent au *greasy spoon* que l'équipe avait affectueusement baptisé « la caf ». « J'suis à mon club de lecture. T'aurais aimé la discussion qu'on a eue autour de *Six minutes*, de Chrystine Brouillet. Ça parle de violence conjugale… Oh ! Oublie pas de rapporter du lait ! » Il effaça le message en louant intérieurement la perspicacité de sa femme, puis coupa la communication.

— Du neuf ?

Luc avait posé la question en prenant place à table. Rinzen l'imita en faisant signe à la serveuse de leur préparer deux cafés pour emporter.

— J'ai reçu le rapport d'autopsie. Rinzen a vu juste. L'homme est mort de faim. Ou plutôt de déshydratation. Le manque d'eau a eu raison de lui avant l'absence de nourriture. Chose certaine, la victime avait rien avalé depuis au moins sept jours.

Luc se redressa sur sa chaise.

— Il est resté accroché comme ça pendant une semaine ? Tu parles d'une mort atroce ! C'est sûr que c'est pas un suicide.

Rinzen interrogea le lieutenant du regard.

— Le banc renversé à ses pieds... J'suis comme Luc. Ça m'a pas convaincu. On dirait une mise en scène. Jusqu'à preuve du contraire, on va traiter son décès comme un meurtre.

— Très bien.

Desautels sortit une bouteille de Tums de sa poche et croqua deux comprimés.

— Maudite histoire! J'espère qu'on est pas en train d'ouvrir une *canne* de vers.

Desautels faisait référence au compte rendu que Rinzen avait fait de leur entrevue avec le frère Théodore. Luc ajouta son grain de sel.

— Le vieux avait l'air convaincu que la victime était pas pédophile. Mais il serait pas le premier à être aveugle.

— Gyatso?

Rinzen mit un moment avant de répondre.

— J'ai pas senti que le frère Théodore mentait. Mais il pouvait ne pas être au courant.

Luc eut un geste d'irritation qui ne passa pas inaperçu aux yeux de Desautels.

— T'as quelque chose à ajouter?

— J'crois pas à l'innocence de l'entourage dans les cas d'abus. Les gens le savent. Ils veulent juste pas le voir!

Sa véhémence fit sourciller le lieutenant. Paradis serait-il un problème dans cette enquête?

— J'veux pas une répétition de l'affaire Trudeau.

Rinzen, qui ne connaissait rien de l'affaire Trudeau, nota la réaction de Luc.

Il était mal à l'aise. Il marmonna:

— J'ai appris ma leçon.

Desautels voulut renchérir, mais se retint.

— Bien! Vous savez ce que vous avez à faire.

Les enquêteurs se levèrent. À travers la fenêtre de la « caf », Desautels les suivit du regard jusqu'à ce qu'ils arrivent près de leur véhicule de service, puis la serveuse déposa son « spécial du midi » sur le napperon de papier – un hamburger steak avec de la sauce brune, des carottes et des pommes de terre pilées. Desautels fut tenté de prendre deux autres comprimés, mais il résista.

Dehors, Rinzen attendait que Luc déverrouille les portes de l'auto.

— Maudit char de merde !

Ne parvenant pas à faire fonctionner correctement la manette de contrôle, il donna un coup de pied dans le pneu avant. Après quelques secondes, Rinzen demanda :

— Ça t'a fait du bien ?

Luc haussa les épaules. Rinzen posa son regard perçant sur lui.

— L'affaire Trudeau… commença-t-elle.

— Le garçon avait dix ans. J'ai frappé le père.

— Parce qu'il abusait de son fils ?

— Non… parce qu'il avait pas dénoncé sa femme.

Rinzen eut l'air surprise.

— Eh oui ! C'est sa mère qui abusait de lui ! Ça faisait partie de son éducation sexuelle. Quand il était enfant, elle avait commencé par lui apprendre à se masturber, puis elle était passée aux choses plus sérieuses. Fellation, pénétration…

Rinzen avait observé Luc pendant qu'il lui narrait les détails de l'affaire. Ses lèvres tremblaient légèrement.

— En as-tu déjà parlé à quelqu'un ?

Luc fronça les sourcils.

— De l'affaire Trudeau ?

Rinzen marqua une pause.

— Non. De ce qui t'est arrivé lorsque t'étais jeune.

Luc resta interdit. Rinzen soutint son regard.

— Si jamais tu veux en parler…

Puis, un sourire en coin, elle ouvrit sa portière sans effort. La voiture, qui n'était pas fermée à clé au départ, se verrouillait chaque fois que Luc appuyait sur la manette.

En pénétrant dans le véhicule à son tour, Luc songea qu'il était peut-être temps de se libérer du boulet qui lui broyait le cœur.

13

Montréal, Québec, 1970

Avec l'aide involontaire du pédopsychiatre, il avait adopté le rôle de l'aîné, comme un comédien incarne un personnage. Une seconde peau glissée sur la sienne, la moulant jusqu'à prendre sa place ; dévoilant quelqu'un que même ses parents avaient de la difficulté à reconnaître. Son père, surpris par un changement aussi rapide d'attitude, avait remercié son confrère pour ses bons soins et lui avait remis son dernier chèque. Sa mère, fatiguée de s'inquiéter, avait joué le jeu. Et, en quelques mois seulement, leur vie familiale était devenue « normale ». Ils faisaient des randonnées en famille le dimanche, faisaient les courses le jeudi soir et, le samedi, collés sur le divan du salon, ils regardaient la *Soirée du hockey* à la télé.

La famille parfaite !

Jusqu'à ce que l'Autre, qui dans les premières semaines n'avait été qu'une poubelle à bouffe et une machine à caca, apparaisse au fil du temps dans toute sa splendeur : vif, charmant, toujours souriant et d'une beauté hors du commun. Un soleil autour duquel ses parents orbitaient pendant que, comme une étoile mourante, il dérivait dans le vide sidéral.

Heureusement que, à son arrivée au primaire, la religion était entrée dans sa vie. Il avait trouvé du réconfort dans les dix commandements. Des règles qui imposaient des balises à ses pulsions. Alors quand l'Autre était devenu cet astre écrasant, il s'était tourné vers elle. Son père avait accueilli son enthousiasme comme une évolution, mais sa mère n'avait pas été dupe. Elle n'avait pas découvert pourquoi il s'entichait de la religion, mais elle savait que cela avait à voir avec son absence de « normalité ». À l'opposé de son mari, elle ne l'avait pas cru dans son rôle de frère aîné. Parce qu'il s'agissait d'un rôle, elle en était convaincue. Comme elle avait joué celui de la mère comblée.

— T'as l'air de bonne humeur, toi ?

Son père, qui travaillait de la maison, était venu l'accueillir à la porte.

— Papa... J'ai un ami !

Son père reçut la nouvelle comme s'il avait gagné à la loterie. Il le serra contre lui, heureux que son enfant s'ouvre enfin au monde.

— Ta maman va être fière de toi.

Puis, à moitié pour s'en débarrasser, il le pressa d'aller annoncer la nouvelle à sa mère dans la cuisine.

Elle berçait l'Autre quand il fit irruption dans la pièce pour lui claironner l'information. Elle le félicita, mais lui demanda aussitôt de baisser la voix pour ne pas réveiller son frère. Cela aurait pu tarir sa joie, mais celle-ci était trop grande et il repartit en sifflotant vers sa chambre. En le suivant du regard, sa mère ne put retenir un rictus de déplaisir.

Cet être qui grandissait à leurs côtés aurait été un extraterrestre qu'elle n'aurait pas été surprise. Elle ne l'avait pas expulsé de son ventre que déjà il la mangeait de ses immenses yeux, insatiables. Elle savait qu'elle ne pourrait jamais le rassasier. Emplir le gouffre qui l'habitait. Elle doutait que personne en soit un jour capable. Même son nouvel ami.

Un ami ! Son premier…

Seul dans sa chambre, il se rejouait la conversation qu'il avait eue avec lui. Examinant chaque mot employé, cherchant une signification cachée qu'il n'aurait pas décelée. Mais il avait beau retourner leur échange dans tous les sens, il l'avait bel et bien invité à devenir son ami. Il n'en revenait tout simplement pas.

Il prit donc la chose très au sérieux et se jura de ne jamais le décevoir. Il se promit de ne jamais trahir sa confiance. Il ne lui mentirait jamais. Leur amitié demeurerait précieuse à ses yeux… jusqu'à ce que mort s'ensuive.

14

Luc avait mis la clé dans le contact, mais tardait à démarrer la voiture. Rinzen brisa le silence.

— J'aimerais qu'on retourne sur la scène.

Luc se détendit enfin. Il lui était reconnaissant de ne pas pousser plus loin la conversation sur son passé. Elle était la première personne à qui il avait été tenté d'en parler, mais ce n'était pas le moment. Avec l'enquête en cours, il ne voulait pas remuer les eaux stagnantes, craignant un raz-de-marée qu'il serait incapable de contrôler.

— À tes ordres, Gyatso !

Le trajet vers l'appartement de Samuel Clément se fit en silence, chacun perdu dans ses pensées. Arrivé sur les lieux, Luc défit les scellés et ouvrit la porte.

— Pouah !

Bien qu'ils aient fait aérer l'endroit le jour de la découverte du corps, l'odeur de décomposition n'avait pas quitté l'appartement. Elle ne disparaîtrait qu'après qu'une équipe spécialisée dans le nettoyage des scènes de crime aurait fait son travail.

Rinzen ignora la réaction de Luc et mit un pied à l'intérieur. De son poste d'observation, elle voyait l'ensemble de la pièce avant. Elle sortit son cellulaire et examina les photos qu'elle avait prises.

— Qu'est-ce que tu cherches ?

Rinzen regarda Luc.

— Je me demande pourquoi là.

— Dans l'appartement ?

Rinzen fit non de la tête et alla se poster sous la poutre, à l'endroit où le corps avait pendouillé.

— Il y a plusieurs poutres… Pourquoi celle-là ?

Rinzen fit un demi-tour sur elle-même.

— Et pourquoi s'organiser pour que le corps soit face au sud et pas au nord ?

Luc n'était pas surpris. C'était le genre de questions qui faisait que, depuis qu'ils travaillaient ensemble, ils avaient un taux de résolution d'enquêtes de quatre-vingt-cinq pour cent. Il jeta un regard circulaire sur la pièce. Puis il examina le mur qui faisait face à la victime. Il n'y avait pas de photos ou de décorations accrochées. Seul un crucifix en bois ornait la paroi.

— Le meurtrier voulait peut-être qu'il affronte son Créateur.

— Peut-être…

Il se tourna vers Rinzen.

— Est-ce que le tueur avait besoin d'une raison pour le crucifier là ? C'est quand même la poutre au centre de la pièce. C'était plus pratique. Il avait plus d'espace de manœuvre.

Rinzen fixait maintenant la photo de la victime sur son iPhone.

— J'comprends pas… Samuel Clément aurait accepté qu'on l'attache comme ça à la poutre ? Le pathologiste a indiqué qu'il avait aucune blessure sur le corps. Pas de marques de défense…

— Un petit vieux de quatre-vingt-cinq ans... Ça prend pas grand-chose pour y faire peur et l'obliger à monter sur le tabouret.

Rinzen pensa à ses parents. À leur fragilité...

— Qu'est-ce que Samuel Clément a fait pour que quelqu'un lui en veuille à ce point?

— C'est peut-être un détraqué qui en a contre les religieux... Ou contre ce frère-là en particulier.

Rinzen l'observa un moment avant de dire:

— On a aucune preuve que le frère Samuel était pédophile.

— J'ai pas dit ça.

— Mais c'est là où tu veux en venir.

Luc affronta son regard.

— C'est l'hypothèse la plus probable.

Rinzen mit un moment avant d'ajouter:

— C'est aussi du profilage. Comme de penser que les gais sont nécessairement des pédophiles.

Luc savait qu'elle avait raison. Mais il n'était pas près de le lui concéder.

— Tu t'imagines que je réagis comme ça à cause de ce que tu crois que t'as compris sur mon passé... Eh bien, moi, j'pense que t'es aveuglée par ta religiosité.

— Ma quoi?

— Tu veux pas voir la puanteur qui se cache derrière les religions.

Rinzen resta silencieuse un long moment avant d'ouvrir la bouche.

— D'abord, le bouddhisme est pas une religion. C'est une philosophie. Et la puanteur se cache également derrière l'absence de croyances. Qu'est-ce que tu fais pour souper?

Luc fut pris de court par sa question.

— Rien...

— Alors tu viens souper à la maison.
C'était sans appel.

Il avait sept ans lorsqu'il a mis les pieds dans mon confessionnal pour la première fois. Il était nouveau à l'école. Ses parents avaient déménagé après sa première année d'école. Je lui avais demandé s'il était triste d'avoir perdu ses amis. Il m'avait fixé longuement à travers la grille, puis il avait répondu qu'il n'en avait jamais eu. J'ai eu pitié de lui. Mille fois, par la suite, je me suis répété que j'aurais dû, à ce moment, mettre fin à la conversation et lui demander de réciter son Je confesse à Dieu. Au lieu de cela, je lui ai proposé de devenir son ami…

15

Opame avait préparé un repas un peu plus copieux que d'habitude. À part Zhou, qui se faisait très vieux et venait de moins en moins les visiter, c'était rare qu'ils reçoivent à souper depuis la mort du mari de Rinzen. Opame avait donc accueilli avec plaisir la nouvelle de la visite du coéquipier de sa fille. Il n'en allait pas de même pour Sengyé. Il craignait que Rinzen s'amourache de nouveau d'un « étranger », par surcroît un autre policier.

— Sengyé… Arrête de faire la tête. Rinzen l'a invité à souper. Pas à se marier !

Le vieux haussa les épaules et grommela quelques mots qu'Opame ne chercha pas à comprendre. La discussion était ancienne et aboutissait toujours aux mêmes conclusions. Sengyé s'imaginait retourner au Tibet et il s'entêtait à croire que Rinzen ne voudrait jamais les suivre si elle avait un mari étranger. Opame avait essayé de lui faire valoir que, même sans mari, elle ne les suivrait pas, car sa vie et celle de son fils étaient au Québec. Peine perdue.

— Ils devraient arriver bientôt…

Sengyé, qui était assis à la table de la cuisine, se leva.

— J'vais aller faire mes pratiques.

— Bonne idée ! Méditer sur la compassion, ça ne te fera pas de tort.

Sengyé s'éloigna dans le corridor sans rien dire, mais Opame se doutait qu'il avait un sourire en coin. Elle avait toujours su le ramener à l'essentiel.

Opame se remit à la tâche. Elle confectionnait les *thenthuk* d'une main de maître. Ces nouilles, dont la technique consistait à tordre et étirer la pâte à la main jusqu'à en faire de longs filaments, seraient plongées dans un bouillon à base d'agneau et parfumé de coriandre pour former la *thupra,* une version tibétaine de la soupe aux nouilles. En travaillant, elle fit l'inventaire de ce qu'elle avait préparé. Les *momos*, des raviolis fourrés aux légumes et hachis de bœuf, avaient été confectionnés en premier. Il ne resterait qu'à les cuire à la vapeur lorsqu'ils arriveraient. Les *lhassa khoura*, ces petites crêpes frites aux champignons et au bœuf, attendaient patiemment dans le four qu'on les serve. Il ne restait donc que le *dresil*, le riz sucré aux fruits secs, qu'elle napperait de yaourt au moment de le servir. Satisfaite, elle jeta les *thenthuk* dans le bouillon et commença le dessert.

Quand Rinzen mit les pieds dans l'appartement avec son coéquipier, les parfums enivrants du festin préparé par Opame les frappèrent de plein fouet.

— Ça sent bon, maman.

Rinzen embrassa sa mère et fit les présentations.

— Luc, je te présente Opame, ma mère. Maman, voici mon coéquipier, Luc Paradis.

— Bienvenue dans notre maison…

La suite fut assez embarrassante. Luc ne savait trop s'il devait embrasser Opame ou lui serrer la main, de sorte qu'il empoigna sa main tout en la tirant vers lui pour lui faire la bise, déséquilibrant ainsi la pauvre femme, qui faillit se retrouver par terre. Rinzen, qui assistait à la scène, ne put s'empêcher de rire. Luc l'imita aussitôt, mais un peu trop bruyamment. Il détonnait dans l'atmosphère paisible et le décor oriental de l'appartement des Gyatso. Un chevreuil dans une boutique de porcelaine. Il était maladroit, avec trop de bras et de jambes.

Rinzen sourit.

— Bienvenue dans mon monde.

Luc, qui la côtoyait pourtant tous les jours, ne l'avait jamais imaginée habitant dans un condo de Chinatown, décoré à l'image du Tibet, accompagnée de ses parents âgés et de son fils. Il avait cru que Rinzen – qui était née au Québec, parlait un français aux accents québéco-oriental et avait été mariée à un Québécois de souche – vivait dans un environnement semblable au sien, dans un arrondissement comme Rosemont, HoMa ou Saint-Henri, seule avec son fils. Le choc était visible.

— Maman !

Sashi, qui arrivait de la chambre de ses grands-parents, se jeta dans ses bras.

— T'en as pris du temps à venir me voir.

— J'méditais avec grand-papa.

— Et vous méditiez sur quoi ?

Le sourire de Sashi s'élargit encore plus, si cela était possible.

— La compassion !

Opame rit sous cape en l'entendant.

— Et il est où, grand-papa ?

— Dans sa chambre.

Rinzen jeta un regard en oblique à sa mère. Celle-ci disparut chercher son mari.

— Sashi... voici Luc.

Le petit sauta des bras de Rinzen à ceux de Luc et lui chuchota à l'oreille :

— Mon papa était policier comme toi. L'as-tu connu ?

Luc, alarmé, se tourna vers Rinzen.

— Non, Sashi. Luc l'a pas connu.

Sashi se tortilla pour que Luc le dépose par terre. Celui-ci crut qu'il allait s'éclipser, mais le petit lui prit plutôt la main et dit :

— Grand-maman a préparé toutes sortes de bonnes choses. Viens !

L'enfant l'entraîna vers la cuisine au bout du corridor. Rinzen leur emboîta le pas. En passant devant la chambre de ses parents, elle vit sa mère qui chuchotait à l'oreille de son père. Opame, en la voyant, lui fit signe que ça irait. Rinzen lui sourit, reconnaissante.

16

Malgré les tentatives répétées de sa femme pour développer ses papilles gustatives, Gerry Desautels n'était pas un fin gourmet. Il n'y avait donc rien qu'il aimait mieux que les soupers du jeudi. Car sa compagne, responsable du ciné-club paroissial – une autre de ses activités culturelles ! –, quittait la maison en fin de journée pour ne revenir qu'à minuit. Elle avait bien tenté de lui préparer des repas à réchauffer, mais il avait fini par lui faire comprendre que : « Un bon sandwich, une fois de temps en temps, ne fait pas de tort à son homme ! »

Le lieutenant exhala longuement avant de retirer le bouchon d'une bouteille de Macallan Amber et d'en inspirer les effluves. Pour son anniversaire, sa femme lui avait offert un Glencairn, un verre à scotch fabriqué par la maison du même nom et dessiné pour favoriser l'appréciation aussi bien des arômes au nez que des saveurs en bouche ; du moins, c'est ce que son épouse prétendait. Il versa deux doigts du précieux alcool dans le verre et en prit une gorgée. Il sentit aussitôt la chaleur du liquide ambré envahir son corps. Il goûta au plaisir encore quelques instants, puis apporta son scotch à la cuisine. Il le siroterait en confectionnant son spécial Gerry, une sorte de sandwich club à l'italienne avec des piments marinés, du prosciutto et une tranche de taleggio, un fromage italien qu'il avait découvert – il était obligé de l'admettre – par l'entremise de sa femme. Avec l'estomac qu'il avait, il savait qu'il regretterait ses excès, mais pour le moment, il s'en foutait. Il n'avait jamais été un soûlon, n'avait jamais trompé son épouse et s'était toujours tenu loin des parties de poker, même amicales. Il avait droit à son vice.

La panse bien remplie et la bouche encore pleine de parfums, Gerry décida d'aller marcher pour faire passer ses abus. Il revêtit son anorak et sortit dans l'air vif de ce soir de décembre. Les rues de Crawford Park étaient désertes à ce temps de l'année. Bien au chaud, les enfants faisaient leurs devoirs sur la table de la salle à manger, pendant que les parents, qui travaillaient pour la plupart, essayaient en quelques heures de réaliser les travaux ménagers d'une journée. Desautels appréciait le calme de l'hiver.

Il marcha en direction du fleuve qui, à cause de la douceur inhabituelle du temps, n'était pas encore gelé. L'eau noire et agitée contrastait avec la croûte de neige blanche qui s'était formée sur ses berges. Le vent se levait, annonciateur d'une nouvelle tempête. Le silence assourdissant du soir n'était brisé que par le choc incessant des vagues contre les grosses pierres de la rive. Desautels craignait la violence de la nature. Aucun homme ne pouvait la contrer et elle était plus impitoyable que le plus vil des criminels. Malgré tout, il la préférait à celle des hommes. Car il avait du respect pour la nature. Alors que pour les hommes… C'était de plus en plus difficile pour lui de croire en leur rédemption. Le tableau du crucifié le hanta un instant et il frissonna. Je n'aurais pas dû manger ce sandwich, songea-t-il en serrant son anorak contre sa gorge pour empêcher le vent d'y pénétrer. Il fit encore quelques pas le long de la rive, puis, vaincu par le froid, décida de faire demi-tour. Au moment de se retourner, il dénota une variation dans le bruit de l'eau frappant la rive. Un « Flop ! » plutôt qu'un « Flac ! ». Il s'agissait sûrement d'un tronc d'arbre que les courants avaient charrié avec le mauvais temps. Curieux, il scruta les ténèbres au-delà des cercles de lumière des réverbères qui éclairaient les abords du cours d'eau. Desautels avait beau plisser les yeux pour mieux voir, les eaux noires et le soir de tempête sans lune rendaient la chose impossible. Il sortit son iPhone et alluma l'ampoule LED de l'appareil. En dirigeant le rayon lumineux sur le sol devant lui, il parvint à s'approcher de la berge sans glisser dans l'eau glaciale du fleuve. Il fit des gestes larges de gauche à droite avec son iPhone, éclairant le bord de l'eau à la recherche du mystérieux objet. Il se sentait comme un gamin en quête d'un trésor. Il souriait quand le faisceau balaya ce qu'il crut d'abord être un ballon. Il recula et faillit s'écraser contre les roches lorsqu'il comprit qu'il se trouvait devant un tronc d'homme dont la tête et les membres avaient été arrachés.

17

Luc mangea avec appétit, savourant chaque bouchée de cette cuisine qu'il découvrait. Le repas terminé, il encensa les talents culinaires d'Opame et remercia les Gyatso de l'avoir accueilli ainsi dans leur demeure. C'est alors que Sengyé manqua à la promesse qu'il avait faite à sa femme et passa à un interrogatoire serré de Luc. Il voulait tout savoir de lui. D'où il venait, s'il était croyant, s'il était marié… Rinzen était intervenue.

— Papa… On dirait que c'est toi, l'enquêteur. Ça suffit.

À contrecœur, Sengyé avait mis fin à ses questions. Opame en avait profité pour servir le *dresil*, et Sashi pour se glisser sur les genoux de Luc.

— Papa… Raconte un peu à Luc comment c'était le Tibet, reprit Rinzen.

L'homme, qui ne se faisait pourtant jamais prier pour parler de sa terre natale, refusa.

— Le Tibet n'est pas un sujet intéressant pour un jeune Nord-Américain comme lui.

Luc regarda Rinzen, ne sachant trop comment réagir aux propos du vieillard. Elle mit la main sur son avant-bras, un geste qui n'échappa pas à son père.

— Tu peux pas préjuger des intérêts de Luc, papa.

Mais Sengyé ne l'écoutait pas. Il avait les yeux fixés sur la main de Rinzen posée sur Luc. Elle suivit son regard et comprit enfin d'où venait la réticence de son père. Elle retira sa main.

— J'pense, Luc, que mon père croit qu'on est des amoureux.

Luc s'étouffa. Rinzen rit, ce qui fit également rire Sashi.

— Pas de danger, papa. Luc aime les hommes.

Un large sourire se dessina alors sur le visage de Sengyé. Devant l'étonnement de son coéquipier, Rinzen crut bon d'ajouter :

— Le bouddhisme n'approuve ni ne condamne l'homosexualité. Ce n'est pas sa place. Essentiellement, le bouddhisme te demande de ne pas te faire de mal, de ne pas en faire aux autres, de travailler à devenir le meilleur de toi-même et de méditer pour le bien-être de tous.

Puis, elle regarda son père et dit :

— Mais il semble que certains bouddhistes aient de la difficulté avec certaines différences culturelles.

Sengyé accepta la remontrance de Rinzen sans broncher, trop content de savoir que Luc ne voudrait jamais épouser sa fille. Mais Opame, qui voyait au travers de sa fausse contrition, dit :

— *Om, maṇi padme hūm*... Le mantra de la compassion. Savais-tu, Luc, que c'est notre mantra national ?

Elle avait posé la question à Luc, mais c'est son mari qu'elle fixait à travers les fentes de ses yeux bridés.

— J'connais pas grand-chose sur le Tibet. Pour moi, tout ce qui est oriental est exotique. C'est certain que ça me rend curieux.

Rinzen le contempla. Sa déclaration avait l'avantage d'être sincère, même si elle témoignait de l'ignorance généralisée. Pour la majorité des Occidentaux, l'Afrique était un vaste pays, et les yeux bridés, un autre. Pas de différences entre Nigériens ou Ougandais. Pas de différences entre Chinois ou Tibétains. Deux bateaux, remplis l'un de Noirs, l'autre de Jaunes.

— Comme ça, tu voudrais connaître notre histoire ?

Ils se tournèrent tous vers Sengyé, qui avait posé la question. Manifestement, depuis qu'il avait découvert l'orientation sexuelle de Luc, il avait retrouvé la parole.

— Oui… si vous en avez envie…

Sengyé raconta le Tibet de son enfance. La vie simple à la ferme de ses parents, son entrée au palais du Potala comme apprenti artisan, la fierté de ses parents, le premier regard qu'il avait posé sur Opame… Puis l'invasion chinoise. La torture, les monastères détruits, les Tibétains éliminés un par un parce qu'ils refusaient de renier leur culture…

Luc comprit enfin les propos de Rinzen. L'absence de croyances religieuses des envahisseurs communistes avait mené à des excès aussi terrifiants que le contraire.

Il songea aussi que le mal résidait en l'homme et que ses luttes autour des croyances n'étaient que des prétextes pour donner libre cours à des pulsions destructrices.

Il avait accueilli l'idée que je devienne son ami avec enthousiasme. Étrangement, il n'avait pas cherché à me voir en dehors du confessionnal. Il s'arrangeait toujours pour être le dernier à passer les jours où j'officiais ; ainsi, il pouvait demeurer dans l'isoloir aussi longtemps qu'il le souhaitait. Au début, il ne restait que quelques minutes après s'être confessé. Des péchés d'enfant, anodins, pour lesquels je lui donnais invariablement l'absolution et lui imposais trois Je vous salue Marie de pénitence. Puis nous bavardions. Une conversation innocente, sans conséquence…

18

Montréal, Québec, 1975

Par la fenêtre de sa chambre, il la vit qui serrait son frère contre elle. C'était le premier jour d'école de l'Autre...

Il se souvenait du sien comme si c'était hier. Sa mère ne l'avait pas conduit à l'arrêt d'autobus comme elle le faisait avec l'Autre. Elle s'était contentée de rester plantée avec le bébé dans ses bras sur le perron du cottage dans lequel ils venaient d'emménager et de le regarder marcher jusqu'à l'arrêt situé au coin de la rue. Elle n'avait consenti à le saluer de la main qu'au moment où il avait pénétré dans le véhicule. Étrangement, il n'en avait pas été perturbé.

C'était au début de ses séances chez le pédopsychiatre, avant l'arrivée de la religion. Il avait tiré un certain réconfort de ces rencontres. Pas nécessairement de la façon dont le médecin et ses parents le croyaient, mais le résultat à la fin avait été le même. Ses crises avaient diminué et il semblait s'être habitué à la présence du bébé. La vérité est que l'attention du thérapeute, l'intérêt que sa mère portait à ces séances et les récompenses qu'il en tirait avaient compensé l'existence parasitaire de l'Autre. Du moins jusqu'à la seconde naissance de l'Autre.

L'autobus, qui emportait son frère, disparut et sa mère se retourna pour rentrer à la maison. D'où il était, il pouvait deviner qu'elle avait pleuré. Cela l'agaça. Elle n'avait pas pleuré pour lui, six ans plus tôt. Il en était certain. Il la vit regarder en direction de la fenêtre de sa chambre, puis détourner rapidement le regard. Avait-il lu de l'hostilité dans ses yeux ?

Il s'empressa de quitter la fenêtre pour ouvrir le boîtier où il rangeait ses quarante-cinq tours, classés par ordre alphabétique. La boîte était un des cadeaux que ses séances assidues chez le pédopsychiatre lui avaient mérité. Il choisit un des disques et le déposa sur la platine de la table tournante portative que ses parents lui avaient offerte à sa fête. Il mit l'appareil en marche, s'assurant que le volume était au maximum, et posa l'aiguille au début des sillons, juste comme il entendit sa mère arriver près de la porte de sa chambre…

« Une maman c'est grand comme la terre entière.

Une maman c'est beau et puis ça connaît tout. »

Sa mère se figea devant la porte. La voix de René Simard déchirait l'air, l'agressant à coup de mots mielleux et de notes aiguës.

Elle l'avait vu qui la surveillait depuis sa fenêtre. Qui épiait ses moindres gestes d'affection pour son frère. Elle sentait son regard avide sur sa nuque. Elle avait voulu hurler comme mille autres fois depuis sa naissance. Mais elle avait ravalé sa terreur. Encore une fois.

Son mari croyait que tout allait pour le mieux depuis que son confrère leur avait expliqué que leur fils était un être anxieux, extrêmement fragile, et que même s'il avait eu de la difficulté à accepter de ne plus être le seul enfant de la famille, ses progrès se manifesteraient au fil du temps. Ils n'avaient rien à craindre… Elle n'en croyait pas un mot. Pas plus aujourd'hui qu'à l'époque.

Elle avait tenté d'en parler avec son époux, mais il avait balayé ses inquiétudes du revers de la main, invoquant sa propension à tout dramatiser. Bien sûr, il était rarement à la maison, toujours en consultation ou en réunion. Ce n'était pas à lui que son fils s'était attaché maladivement…

« Une maman c'est tout, une maman c'est fier.

Ça nous aime tendrement et ça peut nous consoler de tout. »

La chanson continuait de pourrir l'air, siphonnant ce qui lui restait de compassion. Figée dans le cadre de porte, elle le regardait poser son regard affamé sur elle, attendant la confirmation de son amour pour lui. Avait-il compris qu'elle ne parviendrait jamais à l'aimer comme elle adorait son cadet ? Avait-il senti que même lorsqu'il était bébé, dans ses bras, elle avait su qu'il ne serait jamais l'enfant qu'elle souhaitait tant ? Était-ce pour la punir qu'il faisait jouer à tue-tête cette parodie d'amour filial ?

« Je l'ai acheté exprès pour toi ! » avait-il enfin crié, cherchant à couvrir la voix qui claironnait son affection pour sa mère. C'en était trop. Elle avait éclaté en sanglots et était allée se réfugier dans sa chambre.

Il avait enlevé le disque et songé qu'il avait tort.

Sa mère était capable de pleurer pour lui.

19

Paradis allait quitter l'appartement des Gyatso quand son cellulaire et celui de Rinzen résonnèrent en même temps. La Police de Montréal couvrant tout le territoire de l'île, ils étaient mandés à Verdun, où un corps avait été découvert sur les rives du Saint-Laurent.

— *Fuck* !

Luc avait laissé échapper le juron, car la perspective de se « les geler » sur le bord du fleuve un soir de tempête ne le réjouissait pas. Résignée, Rinzen avait souhaité bonne nuit à son fils, puis, après les remerciements répétés à Opame pour l'excellent souper, Luc et Rinzen quittèrent l'édifice de la rue Clark. Une fois dehors, Luc dit :

— Pour une fois que j'aurais trouvé le sommeil…

— Tu dormirais malgré toutes les horreurs que tu viens d'apprendre sur mon pays d'origine ?

— Non, voyons… Tu sais ce que j'veux dire…

Elle sourit. Oui, elle savait. En dépit du récit de son père, Luc avait baigné dans la chaleur de leur famille. Il aurait dormi repu. Maintenant, il devait déneiger le véhicule de service et accepter l'idée qu'ils allaient passer la nuit dans la bourrasque.

— As-tu l'adresse ?

Rinzen avait posé la question en s'enfournant avec plaisir dans l'auto, qui avait eu le temps de se réchauffer pendant qu'ils la dégageaient du banc de neige dont elle était prisonnière.

— Le central me l'a textée.

Il tendit son cellulaire à sa coéquipière. Rinzen programma le GPS à l'adresse indiquée et ils partirent.

Un périmètre de sécurité avait été mis en place autour de la scène de crime. Les cordons jaunes limitaient l'accès à la rive, où le lieutenant avait découvert le tronc de l'homme, ainsi qu'à la petite tente érigée à l'écart, où reposaient maintenant les restes de la victime. Balançant d'un pied à l'autre, Desautels s'entretenait avec un technicien. La tempête avait redoublé. Il y avait peu de chances qu'ils trouvent quelque indice que ce soit au sol.

— Lieutenant ?

Desautels leva la tête en direction de la voix. Il vit le tandem d'enquêteurs qui s'avançait vers lui. Gelé jusqu'aux os, il sauta les salutations et s'empressa de les mettre au parfum.

— J'me promenais sur le bord du fleuve quand je l'ai découvert...

Rinzen l'interrompit.

— C'est vous qui avez trouvé le corps ?

Desautels frappa dans ses mains pour tenter de les réchauffer avant de préciser :

— En fait, c'est une partie de corps. Un tronc.

Il leur fit signe de le suivre dans la tente. Rinzen et Luc lui emboîtèrent le pas. Ce dernier en voyant le spectacle qui les attendait à l'intérieur serra les mâchoires. Le tronc était gonflé comme un ballon.

— La tête et les membres ?

Desautels secoua la tête.

— Ils ont pas refait surface pour l'instant. On les trouvera probablement jamais.

Rinzen examinait les extrémités déchirées.

— Les déchirures sont typiques des dommages causés par une hélice de bateau…

Desautels ajouta :

— On dirait que c'est un gros navire qui a démembré et décapité la victime. Vraisemblablement au moment où le corps est remonté à la surface.

Rinzen continua son examen.

— Le torse est couvert de lésions de charriage. Il a dû dériver sur une bonne distance avant de réapparaître. Le lieu de précipitation est sûrement pas celui d'émersion.

Luc regarda son supérieur.

— Ça doit pas être une noyade si le dossier nous revient.

Desautels soupira et pointa le doigt vers ce qui restait du cou de la victime.

— Regardez… juste avant la déchirure…

Rinzen se pencha et vit une perforation ronde.

— Une plaie pénétrante au niveau de la jugulaire…

— L'autopsie devrait nous le confirmer, mais l'homme doit être mort d'un coup porté avec un objet rond et pointu.

— Pic à glace ? suggéra Luc.

— J'pense pas. Le trou est un peu large pour un pic à glace. On va laisser les devinettes au pathologiste.

Rinzen hocha la tête.

— On peut présumer que la mort remonte au moins à vingt jours.

Luc, dont c'était le premier corps repêché de l'eau, lui demanda :

— C'est mon premier *floater*. Qu'est-ce qui te fait dire ça ?

— Ton premier ?

Luc haussa les épaules.

— J'ai été chanceux…

— La densité d'un corps mort, reprit Rinzen, est supérieure à celle de l'eau. Le corps finit donc par couler. La putréfaction provoque la formation de gaz qui, à leur tour, le font remonter à la surface. En eau douce, ça prend en moyenne vingt jours à un mois avant que le corps émerge… S'il a pas été lesté d'une manière ou d'une autre.

Luc réfléchit à la question.

— Le meurtrier pensait peut-être que le fleuve gèlerait à temps pour que le corps réapparaisse juste à la fonte des glaces.

Desautels haussa les épaules. Comment imaginer ce qui s'était passé dans la tête du tueur ?

— Est-ce que le torse comporte une marque quelconque qui pourrait l'identifier ? demanda Luc.

Desautels lui fit signe que non. Luc piétina dans la tente.

— J'suis à la veille de déclarer décembre le mois des morts *weird*. D'abord un crucifié, et là…

Desautels finit la phrase à sa place.

— « L'homme balloune ».

Il leur montra un message texte qu'il avait reçu du bureau l'informant que l'*Hebdo de l'Ouest* avait déjà baptisé l'affaire. Luc était abasourdi.

— « L'homme balloune » ? Ils sont sérieux ?

Rinzen était aussi surprise que lui, mais pour d'autres raisons.

— Comment ils ont appris la nouvelle ?

Desautels soupira.

— Des badauds qui se sont approchés de la scène avant que les gars sécurisent le périmètre. Aujourd'hui avec les téléphones intelligents et les réseaux sociaux… la nouvelle sort avant même que c'en soit une.

Pas besoin d'épiloguer. Ils avaient tous eu des problèmes avec ces maudits appareils pointés à tout moment dans leur direction. Bien sûr, le public avait l'impression de servir de chien de garde, mais la plupart du temps, il nuisait à leur travail, révélant des informations qui mettaient en péril les enquêtes en cours et, parfois, la vie des enquêteurs ou des citoyens concernés.

Desautels se secoua.

— Une fois que vous aurez examiné le lieu d'émersion, faudra faire la liste…

Il détailla le torse.

— … des hommes entre trente et cinquante ans… qui ont été portés disparus dans les deux derniers mois. Concentrez-vous sur Montréal et ses banlieues.

Luc et Rinzen acquiescèrent et se dirigèrent vers la sortie. Desautels les interpella comme ils franchissaient le rabat de la tente.

— Et le crucifié ?

Luc qui était déjà dehors ne l'entendit pas. Rinzen s'arrêta dans l'entrée.

— On cherche toujours… La deuxième visite de la scène a apporté plus de questions que de réponses.

Desautels la fixa.

— Est-ce qu'on va le trouver, celui-là ?

Rinzen réfléchit.

— Il a attendu au moins une semaine que sa victime meure. C'est pas quelqu'un de pressé. Sans précipitation, il risque moins de faire des erreurs.

Elle quitta la tente sous le regard fatigué du lieutenant.

20

Le vent soufflait si fort que la neige voyageait à l'horizontale, ce qui rendait leur tâche impossible. De toute façon, ils n'auraient probablement rien déniché de plus que les techniciens qui avaient ratissé la rive avant même que la tempête commence à s'envenimer.

Rinzen sourit en voyant Luc remonter la fermeture éclair de son blouson.

— Faudra la baptiser, celle-là.

— Pardon ?

— Gertrude ! La tempête qui aura eu raison de Luc.

Luc ne la trouvait pas drôle. Il ne sentait plus ses pieds, et ses doigts souffraient d'engelures.

— J'en ai assez !

Sans attendre l'assentiment de Rinzen, Luc quitta la rive en vitesse. Sa collègue jeta un dernier regard en direction de la masse d'eau noire qui frappait sans relâche le rivage. Elle imagina ce tronc d'homme ballotté dans tous les sens, vidé de son essence. Ce n'était plus qu'une enveloppe sans adresse de retour.

Luc l'attendait dans la voiture, où il avait monté le chauffage au maximum. Malgré tout, il grelottait encore.

— Tu vas finir par attraper une pneumonie. Habille-toi pour avoir chaud, pas pour être beau !

Luc savait qu'elle avait raison, mais il ne changerait rien à son look qui avait fait ses preuves. À près de quarante ans, il ne lui restait que quelques années avant que les hommes mûrs cessent d'en avoir envie. Il comptait bien en profiter. Les jeunes en quête d'un père ne l'avaient jamais intéressé. À plusieurs reprises, il avait refusé les avances de gars dans la vingtaine qui s'étaient entichés de lui. Bien sûr, il avait été tenté par la chair fraîche – il y avait même déjà succombé –, mais le plaisir consommé, il s'était senti encore plus vide. Il voyait de plus en plus d'hommes vivre en couple et il les enviait. Secrètement, en dépit de sa vie débridée, Luc aurait aimé trouver un partenaire de son âge, quelqu'un avec qui, un jour, célébrer trente ans de vie commune. C'était son fantasme. Vieillir avec un homme. Mais il craignait que ce soit trop tard pour lui. Les homosexuels étaient aussi durs entre eux que les hétérosexuels l'étaient avec les femmes. Ils n'avaient pas le droit de vieillir. La date de péremption était fixée à quarante ans. Après…

Rinzen bâilla.

— Déjà trois heures… Je suggère qu'on rentre chacun chez soi et qu'on se rencontre vers neuf heures demain matin. On n'accomplira rien cette nuit.

Luc acquiesça, mais il était encore perdu dans ses pensées.

— Qu'est-ce qui te chicote ?

— Rien…

Rinzen n'en croyait pas un mot, mais n'insista pas. Ils roulaient en silence depuis un moment quand Luc se décida à ouvrir la bouche.

— T'as jamais eu envie de te remarier ?

Rinzen fut étonnée par sa demande.

— C'est pas une chose à laquelle je pense. J'ai mon fils, mes parents, ma carrière… Ça me tient occupée.

— Mais les hommes doivent te *cruiser*?

Rinzen sourit.

— Sûrement, mais comme je t'ai dit…

Elle s'interrompit pour le regarder.

— Pourquoi les questions tout d'un coup sur ma vie sentimentale ?

Luc haussa les épaules.

— Pour rien… Pour parler.

Après un moment de silence, Rinzen se risqua.

— Et toi ?

— Moi ?

— Oui, toi. Ta vie sentimentale…

Luc hésita avant de répondre.

— Disons que j'ai une vie sexuelle satisfaisante.

Rinzen l'observa.

— Avec des partenaires différents.

— Oui.

— Te sers-tu de l'application mobile ? Tu sais, celle qui géolocalise les gais dans ton voisinage qui seraient intéressés par une aventure ?

— Coudonc ! C'est un interrogatoire ?

— Non… bien sûr que non.

Luc rit devant son air contrit. Il savait qu'elle ne portait pas de jugement. Elle ne faisait que s'informer.

— Oui, ça m'arrive d'utiliser l'application Grindr.

— Et les saunas ?

— Rarement.

Elle hocha la tête et réfléchit.

— Satisfaire le corps sans nourrir le cœur… Ça doit créer un schisme à la longue.

Luc s'étonna.

— Un schisme ?

— Oui… un vide entre le corps et le cœur.

Luc ne pouvait pas le nier. Cette vacuité, il la ressentait depuis un moment.

— Le corps devient en quelque sorte un réceptacle détaché de son essence…

Luc la fixait.

— Et?

— Ça ressemble étrangement au phénomène de la mort.

Le silence s'installa pour de bon dans l'habitacle. Il ne fut brisé que par les bonsoirs hâtifs de chacun quand Luc déposa Rinzen chez elle. Ce dernier s'assura qu'elle était en sécurité dans sa maison avant de redémarrer et disparaître dans la tempête qui faisait rage au-dehors, et maintenant au-dedans de lui. Car Rinzen, sans le savoir, avait ravivé ses tourments existentiels.

21

Pour une fois, les bruits extérieurs, étouffés par la tempête, ne parvenaient pas à troubler la quiétude de l'appartement des Gyatso. Rinzen retira ses bottes et son manteau et se dirigea vers sa chambre. Elle aurait voulu prendre un bain chaud, mais elle craignait que cela n'éveille son fils. Elle profiterait cependant du calme inhabituel pour méditer avant de se coucher. Elle en avait besoin. Les pensées se bousculaient dans sa tête à une vitesse effarante.

Elle se dévêtit et endossa un des vieux pyjamas de son mari. Elle les avait conservés pour qu'il continue de dormir avec elle. Elle sourit en songeant à la question de Luc. Si elle se remariait, ils seraient trois dans le lit.

Rinzen alluma la bougie à la droite du bouddha, niché sur une tablette dans le coin de sa chambre, puis elle mit feu au bâton d'encens pour qu'il relâche son parfum et elle s'installa sur le coussin de méditation qui faisait face au petit autel. Elle commença par inspirer et expirer longuement, se concentrant sur l'air qui gonflait et dégonflait ses poumons, laissant ses pensées aller et venir, revenant toujours à sa respiration. Rinzen savait qu'il ne servait à rien de lutter contre elles. Il fallait les laisser monter et descendre. Comme les marées. Jusqu'à ce qu'elles ne soient plus qu'un bruit de fond lointain.

Les événements de la journée faisaient des allers-retours dans son cerveau. La rencontre avec le père Théodore, la visite de la scène de crime, le passé trouble de Luc, le souper chez elle, le tronc découvert sur le bord du fleuve... Mais toujours elle parvenait à se recentrer. Inspire, expire... Inspire, expire... Au bout de quelques minutes, elle avait réussi à faire taire les voix et elle commença à répéter son mantra...

— *Om, maṇi padme hūm... Om, maṇi padme hūm... Om, maṇi padme hūm...*

C'était sa manière à elle de lutter contre les forces négatives. Elle était convaincue que cette prière de compassion pouvait contrebalancer et même inverser la balance des choses. En se transformant, en devenant un être de compassion, elle participait à la transformation du monde.

Rinzen médita encore quelque temps, puis souffla sur la bougie et se lova dans le confort douillet de son lit. Son esprit s'était calmé. Elle n'avait plus l'impression que ses pensées s'entrecroisaient à toute vitesse comme les voitures dans un échangeur à l'heure de pointe. Elle appréciait ce moment après la méditation, où tout était plus clair, où la brume se dissipait. Elle nota que deux images, en alternance, continuaient de refaire surface dans son cerveau, pendant que le sommeil la gagnait. La perforation sur le cou de l'homme-torse et les marques de ligature sur les bras du frère Samuel... Elle ne fit rien pour les chasser. Les tableaux ne faisaient que l'accompagner, alors qu'elle glissait doucement dans les bras de Morphée. Des images fugaces qui rythmaient sa respiration. Elle flottait entre la conscience et le rêve, pesante, dans un total abandon...

Puis elle sombra dans le sommeil.

22

Luc savait qu'il ne parviendrait pas à dormir. Son incursion dans la vie familiale de Rinzen l'avait troublé plus qu'il ne l'aurait voulu. Éloigné de sa propre famille depuis l'adolescence, sans enfant et sans partenaire, il avait fini par oublier la chaleur du cocon familial. Il avait passé les deux dernières décennies à errer. Solitaire dans la ville. Anonyme parmi les anonymes.

Luc avait de vagues souvenirs de son passé avant l'accident qui avait coûté la vie à ses parents et qui l'avait catapulté, à douze ans, dans le système public. Quand il faisait un effort, il parvenait à se rappeler le sourire aimant de sa mère. Et parfois, dans les yeux d'un homme, il retrouvait le regard bienveillant de son père. Dans ces moments, il redevenait l'enfant qu'il avait été. L'être pur d'avant les salissures. Il acceptait alors les caresses de ses partenaires, la douceur, la promesse… Mais cela ne durait jamais longtemps et il transformait la tendresse en ébats rudes, impersonnels et sans lendemain. Il évacuait le stress de son métier, mais ajoutait une couche à sa détresse.

Luc consulta l'heure au tableau de bord. Il était quatre heures. Il avait roulé sans but depuis qu'il avait déposé

Rinzen, ses essuie-glaces peinant contre la neige qui se changeait en glace au contact du pare-brise. Au chaud dans l'habitacle de la voiture, où tous les sons extérieurs lui parvenaient en sourdine, il se sentait comme une chenille dans sa chrysalide. Il se dit que ce serait extraordinaire de s'endormir et de se réveiller dans un autre corps que le sien. À cette pensée, il arrêta son véhicule. Pourquoi ce désir de changer de peau ? Il avait mis des années à façonner ce corps qui, malgré son âge, faisait encore bien des envieux. Pourquoi désirerait-il le remplacer ?

La rage se logea en boule dans sa gorge.

Il savait que son envie n'avait rien à voir avec la beauté de son visage ou sa musculature découpée. Il voulait un autre corps parce que celui-là était contaminé. Il avait appartenu à cette femme, l'épouse du couple qui l'avait recueilli à la mort de ses parents. La famille d'accueil que le système avait choisie pour lui.

Dès que la femme l'avait vu, elle l'avait baptisé son « p'tit Roméo ». Il avait bien remarqué le sourire en coin du plus jeune des garçons, mais il avait cru que c'était de la jalousie. Comme il se trompait ! C'était de soulagement qu'il souriait. « Madame » ne troublerait plus ses nuits. Luc serra les poings. Il pouvait encore sentir la main de cette femme se glisser dans sa culotte et agripper son sexe vierge pour lui montrer « comment un homme relaxe ».

La première fois qu'elle l'avait masturbé, il avait pleuré. Il avait éjaculé même si la main de cette femme sur son sexe le remplissait de honte et de dégoût. Son corps l'avait trahi. Après quelques mois, il avait cessé de pleurer. Il en était arrivé à craindre ces moments et les souhaiter tout à la fois. Il crevait de remords, mais son corps en redemandait.

Le pire était à venir.

Un soir, elle avait pris la décision d'en faire son homme. Elle lui montrerait comment Roméo satisfait sa Juliette. Elle avait commencé par le masturber puis, le retenant fermement contre le lit, l'avait chevauché sans qu'il puisse se défendre. Luc ne se rappelait pas si c'était pendant ou après qu'il avait vomi. Il se souvenait seulement qu'il avait régurgité toutes les autres fois par la suite, parce que son corps, comme le plus vil des ennemis, avait continué de le trahir, agression après agression.

Luc savait que son amour des hommes n'était pas né du dégoût qu'il avait de son bourreau. Son désir pour les garçons existait bien avant son agression. Il avait au moins réussi à démêler cet écheveau en thérapie. Mais il avait claqué la porte de son psychologue, comme il l'avait fait avec tous les hommes qu'il avait croisés, quand les questions d'intimité amoureuse étaient arrivées sur le tapis. Maintenant il se demandait s'il n'avait pas adopté, à son tour, le rôle du bourreau. Était-ce ce qu'il faisait en utilisant les hommes puis en les rejetant par la suite comme des objets qu'on ne désire plus ?

Luc essuya du revers de la main ses yeux humides. Foutaise ! Le sexe était toujours consensuel. Il ne jetait pas les autres hommes. Ils se faisaient mutuellement du bien, c'était tout. Tout au fond, cependant, il savait qu'en n'ouvrant jamais la porte aux émotions, il excluait toute tentative d'entrer en relation avec lui. Mais il n'avait pas envie d'écouter cette petite voix qui le harcelait depuis un moment. Il voulait qu'elle se taise.

Déterminé à dénicher un partenaire pour le satisfaire, il remit la voiture en marche. Après avoir été soulagé, songea-t-il, je trouverai peut-être le sommeil…

23

Desautels secoua la neige de son anorak avant de pénétrer à l'intérieur et de refermer doucement la porte d'entrée derrière lui. Sa femme avait le sommeil léger et il ne voulait pas la réveiller en pleine nuit.

— Gerry?

Surpris, il demanda:

— T'es debout?

— Oui... j'fais de l'insomnie.

Elle apparut au haut de l'escalier menant à l'étage. Desautels se fit la réflexion que sa compagne, malgré son air chiffonné, son excès de poids et l'outrage des ans, était encore séduisante. Elle dut voir l'étincelle dans ses yeux, car elle dit en riant:

— On dirait que tes pilules de testostérone font effet!

Desautels grogna et suspendit son anorak dans la garde-robe. Sa femme le rejoignit dans l'entrée et l'enlaça.

— Tu parles d'une heure pour arriver! C'est pas une autre femme qui bénéficie de ta prescription toujours?

— Pas juste une!

Elle rit et déposa un baiser sur ses lèvres.

— Viens, j'vais nous préparer une tasse de chocolat chaud.

Elle l'entraîna dans la cuisine. Sur le comptoir traînait un exemplaire de *Faims*, le dernier roman de Patrick Senécal.

— J'comprends maintenant pourquoi tu dormais pas.

— Tu l'as pas lu. Tu parles à travers ton chapeau.

Desautels sourit. Elle avait raison. Tout ce qu'il savait c'est que l'auteur était reconnu pour ses romans d'épouvante. Et c'était suffisant pour lui.

— Ce soir, au ciné-club, on a visionné un film adapté d'une de ses œuvres. C'est très intéressant de voir la différence entre le roman et le film. Je...

Desautels essayait de se montrer intéressé, mais il n'y parvenait pas. Sa femme s'en rendit compte.

— Dure soirée ?

Desautels ne discutait jamais de ses enquêtes avec elle. Il lui faisait seulement part de ses humeurs.

— Je me suis gelé les fesses dans une tempête de neige. En pleine nuit par-dessus le marché !

— Pauvre chéri...

— C'est pas un métier pour les vieux.

— Et les jeunes ont pas souffert du froid, eux autres ?

— Fais pas ta *smatte*...

Elle lui tapota la main.

— J'sais, c'est pas juste la tempête. Les morts s'additionnent.

Il hocha la tête. Oui, il y avait le trop-plein de morts, mais il y avait également la nature des morts. Il lui semblait que le portrait de la criminalité changeait. Et avec lui, la morphologie des scènes de crime se transformait. Un crucifié, un homme balloune... Il frissonna. Sa femme mit aussitôt sa main sur son front.

— T'es pas en train d'attraper une grippe ?

Il se dégagea.

— Non, j'suis fatigué. J'vais monter me coucher. J'ai pas vraiment envie d'un chocolat chaud.

Il se leva et se dirigea vers l'escalier. Sa femme fronça les sourcils. Elle ne le trouvait pas dans son état normal.

— Gerry ?

Il s'arrêta et regarda dans sa direction.

— Tu me le dirais si t'avais un problème ?

Il eut un sourire triste.

— Mon seul problème, c'est que j'vieillis.

Il tourna le dos et monta à l'étage. Elle jeta les chocolats chauds qu'elle avait préparés dans l'évier. Elle n'en avait plus envie non plus.

Il était étrange. Attirant et repoussant à la fois. Il n'était pas laid, mais il avait d'immenses yeux noirs qui lui mangeaient la moitié du visage. C'est probablement ce qui le rendait attrayant au départ. Mais une fois qu'on y plongeait le regard… On aurait dit un gouffre qui avait besoin de se faire remplir. C'était comme si ses yeux cherchaient à nous dévorer tout entier. Et on devenait une proie…

24

Rinzen déposa son crayon et relut le poème qu'elle venait de rédiger.

Perle de rosée
Larme séchée sur une joue
Chagrins du matin

Elle avait pris l'habitude, depuis la mort de son mari, d'écrire des haïkus au réveil. Elle se laissait imprégner par l'émotion du moment. Ces haïkus, qui en exprimaient l'angle aigu, la délivraient du besoin de juger l'émotion ou de l'expliquer; ils devenaient des images ayant leur vie propre. Une attitude bouddhiste s'il en était une.

Elle s'était intéressée à ces poèmes japonais pendant ses études en lettres au cégep. Même si elle n'avait pas donné suite à une carrière littéraire ou professorale, elle n'avait jamais perdu son engouement pour cette forme de poésie. Un goût qui lui avait valu bien des railleries à l'école de police. Mais elle ne s'était pas laissé influencer. Ce passe-temps la rapprochait de ses origines orientales et nourrissait le talent d'artiste qu'elle avait hérité de son père. Deux choses étrangères à son métier.

Satisfaite, elle prit le haïku et le déposa dans le coffre de bois que Sengyé avait sculpté pour qu'elle y conserve ses poèmes. C'était sa façon à lui de lui montrer qu'il considérait ses écrits comme des trésors à chérir. Rinzen eut le cœur gros au souvenir de son père qui lui tendait la boîte avec émotion. Il n'avait plus sculpté depuis qu'il avait quitté le Tibet.

N'ayant dormi que deux heures, Rinzen ressentit un urgent besoin de caféine. Elle revêtit son peignoir et se dirigea vers la cuisine préparer le thé au beurre. La boisson en marche, elle se rendit ensuite dans la chambre de son fils afin de passer un peu de temps avec lui avant de l'abandonner aux bons soins de sa mère pour le reste de la journée. Opame avait protesté vivement lorsque Rinzen avait émis l'idée de l'envoyer dans une garderie. Sa mère avait évoqué le peu d'années qu'il lui restait pour profiter de son Sashi et lui transmettre les us et coutumes de ses origines. Rinzen n'était pas convaincue qu'elle lui rendait service. Elle se souvenait de ses propres difficultés, enfant, à gérer les influences de l'Orient et de l'Occident qui cohabitaient en elle. Mais elle souhaitait également que Sashi soit imprégné de cette culture qui lui collait à la peau. Elle avait donc cédé aux désirs de sa mère, estimant qu'elle serait là pour adoucir les angles le moment venu.

— Sashi, mon minou… c'est l'heure de te lever.

Rinzen s'était assise sur le lit de son fils et lui caressait les cheveux. Il ouvrit les yeux et la gratifia d'un large sourire.

— Je t'aime.

C'était comme ça depuis aussi loin qu'elle se souvenait. Les premiers mots qu'elle entendait de sa bouche étaient toujours les mêmes. Elle lui avait demandé pourquoi, invariablement, il lui chuchotait qu'il l'aimait à son réveil. Sashi lui avait expliqué que, si son papa était vivant, il lui murmurerait des mots d'amour le matin et que c'était son devoir de prendre sa place. Elle avait fondu en larmes quand elle avait rapporté la conversation à sa mère. Où était-il allé chercher ça ?

— Je t'aime plus.

— Non, c'est moi.

— Non, c'est moi.

Ils continuèrent comme ça un moment, puis Rinzen chatouilla son fils qui, pour échapper à la torture, se réfugia dans la salle de bain. Rinzen le somma alors de se laver le visage et de se brosser les dents. C'est à cet instant qu'Opame apparut à la porte de sa chambre, prête à prendre la relève de sa fille. Sengyé, lui, méditerait jusqu'à son départ, sortant la tête juste à temps pour lui souhaiter une bonne journée.

— As-tu dormi un peu ?

Opame regardait les traits tirés de sa fille.

— Deux heures.

— Va te préparer. Je vais terminer le petit-déjeuner.

Opame prit sa place dans la cuisine et Rinzen occupa celle de son fils dans la salle de bain. La porte fermée derrière elle, elle entreprit ses ablutions matinales. L'eau fraîche de la douche lui redonna des couleurs. Une fois ses longs cheveux montés en chignon et une touche de vermillon appliqué sur ses lèvres, elle se sentit renaître. Elle allait quitter la salle de bain lorsque les images de la veille remontèrent à son souvenir. Pouvait-il y avoir un lien entre les marques de ligature de Clément et la plaie sur le cou du noyé ? Elle secoua la tête en se disant que la fatigue lui faisait imaginer des choses. Puis elle rejoignit son fils et sa mère qui caquetaient dans la cuisine. Rinzen sourit. C'était bon d'avoir une famille.

25

Montréal, Québec, 1982

Le jour entier avait été consacré à l'Autre. C'était l'anniversaire de ses treize ans et sa mère n'avait rien ménagé pour son bébé.

Au déjeuner, elle leur avait servi des Pop-Tarts. Son frère en raffolait. Lui aurait préféré manger un sandwich fait de carton ondulé plutôt que d'avaler ces cochonneries. Mais c'était l'anniversaire de l'Autre et il avait obtempéré. Le reste de la matinée avait été consacré à la préparation de la fête qui aurait lieu dans l'après-midi. Ils seraient plus d'une trentaine à venir le célébrer. Quand il avait eu dix-huit ans, l'année précédente, il avait pu compter sur les doigts d'une seule main ceux qui avaient répondu à son invitation. C'est à peine si son père était parvenu à se libérer pour souper avec eux.

Son frère, obsédé par le film *Fame*, sorti deux ans plus tôt, avait demandé que ce soit le thème de la fête. Sa mère avait donc transformé le sous-sol de la maison en école de danse, accrochant tous les miroirs qu'elle avait pu trouver aux murs et faisant pendre une boule disco du plafond.

Fame!

Son frère, comme toujours, avait brillé pendant la fête, parvenant à être le centre de l'attention sans aucun effort de sa part. Lui avait passé l'après-midi à regarder des adolescentes en collants tenter de séduire l'Autre en se faisant accroire qu'elles savaient danser et chanter. Les jeunes garçons et les adultes s'étaient également empressés de plaire à l'Autre. Tous voulaient le côtoyer, faire partie de son cercle intime, être choisis pour régner à ses côtés. Et il n'avait que treize ans.

Un souper en famille avait suivi le vacarme de la fête. Même si sa mère avait mis fin à la musique, il pouvait encore les entendre hurler *Fame!* comme s'il s'agissait d'une incantation, psalmodier le mot jusqu'à croire que la gloire leur appartiendrait à coup sûr.

Il les avait enviés.

Il ne leur avait jamais ressemblé et il était à des millions d'années-lumière de son frère. Il avait l'impression de graviter à l'extérieur du monde, de l'autre côté d'une vitre épaisse qui le rendait insaisissable et l'empêchait à son tour de tendre la main. Il n'avait que ses yeux pour exprimer la terreur qui l'habitait, pour tenter de leur faire comprendre le vide qui le bouffait de l'intérieur.

Fame!

Même s'il répétait le mot jusqu'à la fin des temps, la gloire ne lui appartiendrait jamais, pas plus que le succès fulgurant ou la réussite tiède. Il était comme une nuit de novembre sans lune. Obscur, glauque, inquiétant.

Sa mère l'avait observé à la dérobée tout au long du repas. Il avait ce regard qui lui avait procuré plus que son lot de nuits d'insomnie au fil des ans. Ce regard dévorant que son mari s'obstinait à qualifier de ténébreux, mais qui la faisait frémir et lui donnait envie de se barricader avec son fils cadet dans sa chambre. Elle aurait souhaité vouloir couvrir son aîné d'affection et de baisers, mais la vérité est qu'elle le craignait comme on a peur d'une créature répugnante qui surgit du noir. Ce n'était pas son apparence. C'était ce qui exsudait de lui. Une mollesse, une incapacité à exister, une fadeur écœurante qui cherchait à vous happer de ses grands yeux noirs de clown triste…

Au bout d'un moment, sa mère avait hurlé. L'Autre s'était aussitôt précipité à ses côtés pour la réconforter pendant que son mari avait songé qu'il était temps d'augmenter la dose de ses anxiolytiques. Lui n'avait rien fait. Il avait continué de la dévorer des yeux.

Plus tard, rassurée dans les bras de l'Autre, sa mère l'avait regardé avec un air de défi.

Il avait détourné les yeux.

26

Rinzen avait tenu à ce qu'ils prennent rendez-vous avec le pathologiste. Elle voulait examiner le corps du père Samuel une dernière fois avant qu'il soit remis à sa communauté. Maintenant qu'ils étaient à la morgue, rassemblés autour du corps gisant sur une civière de travail creuse, elle regrettait son insistance. L'odeur déjà insupportable de la décomposition l'était encore davantage après sa trop courte nuit. Et à voir l'air du sergent Paradis, il en allait de même pour lui.

— Qu'est-ce que vous vouliez, Gyatso ?

Le pathologiste avait posé la question avec une note d'impatience dans la voix. C'était un homme bourru qui avait vu trop de morts et ne pensait plus qu'à la retraite qu'il prendrait dans quelques mois. Rinzen l'ignora et, ses mains gantées de latex, elle souleva précautionneusement le bras droit de Clément pour examiner les marques de ligature laissées par les lanières de cuir ayant servi à maintenir ses bras en croix.

— Est-ce que les marques ont un signe distinctif?

Le médecin eut l'air surpris. Luc tout autant.

— Un signe distinctif?

— Oui… Est-ce qu'en voyant les plaies, on peut dire *de visu* qu'elles ont été faites avec des lanières de cuir ?

Le légiste soupira. C'était pour cela qu'elle l'avait dérangé ?

— Bien sûr que non ! Les lanières ont laissé une marque fine. Si on ne savait pas que les bras avaient été ligaturés avec des lanières de cuir, on pourrait penser que le tueur s'est servi d'une corde ou d'un cordon quelconque.

Rinzen le remercia, mais Luc pouvait voir qu'elle avait la tête ailleurs.

— Crache !

— Quoi ?

— Qu'est-ce qui te fatigue ?

— Un rêve…

Le pathologiste roula des yeux.

— Pas exactement un rêve, mais deux images qui se succédaient dans mon esprit hier pendant que je m'endormais. Les marques de ligature de Clément et la perforation dans le cou de la victime du fleuve.

— Mais c'est deux affaires différentes…

— J'sais.

Le pathologiste avait recouvert le corps d'un drap. Il allait retourner dans son bureau quand Rinzen l'interpella.

— J'aimerais voir le torse qu'on vous a amené cette nuit.

— Si c'est pour poser la même question, la réponse est la même. Il n'y a rien de distinct dans la plaie. Pour le reste… va falloir attendre l'autopsie.

— J'aimerais quand même le voir.

Rinzen avait été plus ferme qu'elle ne l'aurait voulu, ce qui semblait amuser Luc, mais pas tellement le pathologiste. Il leur fit signe de le suivre jusqu'aux cellules réfrigérantes dans la pièce voisine. Sur place, il consulta une liste et ouvrit le portillon correspondant au torse de l'inconnu, maintenant baptisé 1764-H. Il tira sur le plateau en inox et le torse apparut, recouvert d'un drap blanc. Rinzen le rabattit pour dégager le cou et l'examiner de plus près. La plaie avait été lavée par l'eau du fleuve. À part le fait d'être ronde et moyennement petite…

Rinzen replaça le drap et remercia le pathologiste. Ce dernier secoua la tête, indiquant qu'il avait tout vu dans sa vie et, ignorant plus avant leur présence, glissa le plateau à l'intérieur du casier, referma la porte et les abandonna à leur sort sans un mot. Luc chuchota :

— Il empire…

Rinzen sourit.

— Particulièrement quand j'suis là.

Puis, elle redevint sérieuse.

— Il y a rien qui te dérange, toi ?

— Pas au point d'en rêver.

Rinzen lui tira la langue. Luc rit.

— Allez… Desautels nous attend.

Et il l'entraîna au-dehors.

27

Le lieutenant Desautels était livide. Sa femme avait bien essayé de le retenir plus longtemps au lit, mais en vain. Comme ses enquêteurs, il n'avait donc eu que quelques heures de sommeil, mais eux étaient jeunes, alors que lui…

Il s'envoya deux comprimés d'acétaminophène et avala d'un trait le café qu'il s'était commandé. Il aurait mal à l'estomac, mais ce serait mieux que le mal de tête qui l'assommait depuis le réveil. La tâche accomplie, il ouvrit le dossier qu'il avait traîné avec lui.

Le rapport final de l'autopsie de Samuel Clément lui apprenait peu de choses qu'il ne savait déjà. La cause officielle du décès était un « choc hypovolémique ayant entraîné un collapsus cardiovasculaire ». En résumé, maintenu à la solive de la ferme de toit, l'homme était tout bonnement mort des suites de la déshydratation provoquée par son inanition. Une mort atroce. Et comme si cela ne suffisait pas, ses épaules s'étaient disloquées sous le poids de son corps suspendu par les bras. Desautels eut la nausée. Il ne parvenait pas à comprendre à quoi rimait ce meurtre. Un vieillard de quatre-vingt-cinq ans… Le sergent Paradis avait suggéré un acte de vengeance pour une histoire de pédophilie, mais si c'était le cas, l'agression devait dater. Pourquoi avoir attendu tout ce temps ? Il lui semblait que cette hypothèse ne tenait pas la route. Et il y avait le *modus operandi*… Il aurait été plus simple d'abattre l'homme d'un coup de couteau, d'une balle, ou encore de le castrer, mais le crucifier et le faire mourir de faim ?

La clochette fixée à la porte de la « caf » avertit Desautels que les sergents Gyatso et Paradis venaient d'arriver. Ils s'écrasèrent sur la banquette face à la sienne et la serveuse déposa deux cafés devant eux.

— J'suis content de voir que j'suis pas le seul à avoir une sale tête.

Pour une raison on ne peut plus juvénile, Desautels se réjouissait de la mine de ses subalternes. Un observateur aurait même pu dire qu'elle le ragaillardissait. Il poussa le rapport d'autopsie dans leur direction. Luc y jeta un bref coup d'œil avant de le glisser vers Rinzen en demandant :

— Toujours les mêmes conclusions ?

— Toujours.

Rinzen resta silencieuse et se concentra sur sa lecture. Desautels songea qu'elle ne laissait jamais rien passer. Elle contre-vérifiait tout. Au bout d'un moment, elle leva la tête et dit :

— Le meurtrier voulait qu'il souffre longtemps.

Puis elle replongea dans le document. À côté d'elle, Luc bâilla à se décrocher les mâchoires.

— Désolé… J'ai eu une fin de nuit mouvementée.

Avec n'importe lequel des autres enquêteurs, Desautels aurait fait une blague salace sur la nuit « mouvementée » en question, mais pas avec Luc. Il ne savait pas comment blaguer avec lui. Il avait peur d'avoir l'air de porter un jugement sur son homosexualité. Luc, bien entendu, était au courant de la chose et faisait exprès.

— Lieutenant…

Desautels tourna son regard vers Rinzen.

— Avez-vous vu ça ?

Elle montra un paragraphe du dossier dans lequel le pathologiste mentionnait que la peau entourant les lésions avait la coloration brunâtre du cuir. Desautels le lut et leva les yeux vers elle.

— J'avais vu. Mais c'est normal ?

— Oui…

Rinzen était perdue dans ses réflexions.

— Gyatso ?

Elle se secoua.

— Désolée… J'essaie de comprendre ce qui me chicote.

Desautels regarda Luc, qui haussa les épaules. Le lieutenant n'insista pas. Il savait que ça ne servait à rien. Il était incapable de suivre les méandres sibyllins du cerveau de la sergente. Sa pensée n'était pas linéaire. Elle raisonnait comme personne à l'unité des crimes majeurs.

28

Les trottoirs des artères principales avaient été déblayés, mais Rinzen et Luc durent se frayer un chemin de leur voiture de service jusqu'à la porte de l'immeuble de la congrégation des Frères de Saint-François. Rinzen aurait été incapable de dire si la situation désastreuse des rues de Montréal était due à un manque d'argent, à une mauvaise planification ou tout simplement à une augmentation de la population et des autos, rendant le déblayage presque impossible. Quoi qu'il en soit, trois tempêtes en si peu de temps ne réjouissaient personne, surtout pas le sergent Paradis.

Rinzen s'amusait de le voir avec ses vêtements de la veille – toujours aussi peu adaptés à la météo – pester contre les éléments, la ville et un dieu auquel il ne croyait pas.

— C'est ça quand on découche…

— Ah ! Ah !

Bien sûr, il n'avait pas du tout envie de rire. Non seulement il était transi, mais il gardait un arrière-goût de son aventure de la nuit précédente.

L'application Grindr ne lui ayant été d'aucun secours, Luc avait abouti dans le seul sauna encore ouvert à cette heure, le Bareback[1], reconnu pour ses pratiques du même nom. Tout dans ce lieu respirait le sexe, qui d'ailleurs ne se limitait pas aux confins des chambrettes louées à l'heure. On n'y allait certainement pas pour rencontrer l'homme de sa vie. L'endroit était en fait le cauchemar d'une mère quand elle apprenait que son fils était homosexuel. Parce qu'il représentait le sexe sans protection d'avant le VIH, le sexe débridé qui avait suivi la libération sexuelle des gais et la sexualité dépourvue de sentiments comme seul mode de vie. L'unique fois où Luc l'avait fréquenté, c'était pour y interroger un témoin dans une affaire sordide de jalousie qui avait entraîné la mort d'un homme. Luc convenait que la sexualité essentiellement génitale des hommes – homosexuels et hétérosexuels confondus – se prêtait mieux à des aventures sans lendemain que celle des femmes, mais il traçait une limite quant aux endroits où il voulait la pratiquer.

Luc avait à peine mis les pieds dans le Bareback qu'il regrettait d'y être entré. La musique disco que claironnaient les haut-parleurs, l'éclairage désolant, les plantes en plastique poussiéreuses ainsi que l'odeur de zoo qui régnait en permanence avaient presque eu raison du désir qui le tiraillait. Mais son regard avait croisé celui d'un étalon noir à la croupe invitante et ses réticences s'étaient évanouies. Il l'avait suivi dans sa minuscule chambre et, la porte à peine fermée, l'avait retourné contre le mur et l'avait pénétré sans ménagement. Sa jouissance avait été rapide, insatisfaisante et coupable. Il se questionnait justement sur ce sentiment de culpabilité qui avait soudainement fait irruption dans sa vie.

— La Terre appelle la Lune !

Luc sortit de sa tête pour répliquer :

---

1. *Bareback* ou *BBK* : pénétration sans préservatif.

— T'as besoin de moi pour sonner maintenant?

Ils étaient arrivés à l'intérieur de l'immeuble et se trouvaient devant la porte du frère Théodore. Rinzen appuya sur la sonnette. Le frère, qui avait été prévenu de leur visite, répondit aussitôt et les fit entrer dans son modeste appartement.

— Est-ce que j'peux vous servir un thé?

— Non, merci… On vous dérangera pas longtemps.

Luc aurait sûrement apprécié quelques gorgées de liquide chaud, mais il s'abstint de contredire sa collègue.

— C'est terrible… Vous êtes certains que le frère Samuel a été tué?

Lors de son appel pour fixer le rendez-vous, Rinzen l'avait averti que la mort du frère Samuel allait être traitée comme un meurtre.

— C'est la thèse qui a été retenue, précisa la sergente.

Le frère Théodore n'en revenait toujours pas. Luc attendit quelques secondes avant de s'adresser à lui.

— Pouvez-vous nous dire quand vous l'avez vu pour la dernière fois?

Une tristesse incommensurable traversa le visage du vieil homme.

— Il y a environ quatre mois, Samuel m'a fait venir chez lui. Il m'a dit que c'était la dernière fois qu'on se voyait. Qu'il avait décidé de vivre le reste de sa vie en ermite, cloîtré dans son appartement.

Rinzen prit la relève.

— Vous a-t-il dit pourquoi il avait pris cette décision?

Théodore se signa avant de répondre:

— Il disait qu'il était contaminé.

— Contaminé?

Rinzen et Luc avaient posé la question en même temps. Le père soupira.

— Il n'a rien dit de plus.

Luc réfléchit avant de demander :

— Samuel Clément avait-il des problèmes de santé ?

— Pas à ce que je sache…

— Des problèmes mentaux ?

Le père Théodore semblait ne pas saisir la question.

— Aurait-il pu souffrir de paranoïa, par exemple ? S'imaginer que quelqu'un lui voulait du mal ?

— Si c'était le cas, c'était à mon insu. À mes yeux, il était en pleine possession de ses moyens.

— Mais qu'est-ce qu'il voulait dire par « contaminé » ? insista Luc.

Le père eut une légère hésitation, qui ne passa pas inaperçue de Rinzen.

— À quoi avez-vous cru qu'il faisait référence quand il vous a dit ça ?

Théodore la fixa.

— J'ai pensé qu'il faisait référence à son âme, pas à son corps.

Rinzen hocha la tête. Puis après réflexion…

— Avez-vous des raisons de croire que quelqu'un pouvait lui en vouloir ? Avait-il des ennemis ?

Pour le frère, les questions semblaient plus surréelles les unes que les autres.

— Lui en vouloir ?

— Je sais que c'est pas facile… mais faites un effort.

— Vous ne le connaissiez pas… C'est impensable que quelqu'un ait jamais souhaité lui faire du mal. Le frère Sam… Samuel Clément était presque un saint.

Rinzen et Luc se regardèrent. Luc dit :

— La perfection gêne le commun des mortels. On peut se trouver inadéquats devant la « sainteté ».

Théodore leva les yeux vers Luc.

— Vous avez une crotte sur le cœur, jeune homme.

Sa réplique surprit Rinzen tout autant que Luc.

— Vous voyez le monde à travers votre brouillard personnel.

Luc allait rétorquer, mais le frère enchaîna aussitôt.

— La perfection ou la sainteté de Samuel ne s'exprimait pas de manière culpabilisante ou supérieure. Samuel était un homme simple, confiant dans l'humanité. C'était un phare vers lequel on se tournait avec confiance.

Rinzen fronça les sourcils.

— Mais lors de notre dernière visite, vous nous avez dit qu'il était troublé…

Théodore se résigna.

— C'est parce que je vivais à ses côtés que j'ai perçu son tourment. Au fil des ans, je l'ai vu s'accroître…

— Et vous avez jamais essayé de lui en parler ?

Le frère soupira.

— À quelques reprises, dans les dernières années, j'ai tenté de le réconforter. Il me remerciait pour ma sollicitude, sans plus. Au fil du temps, il m'est devenu évident que son combat intérieur le détruisait, mais jamais Samuel n'aurait laissé transparaître son mal-être à ceux qui l'approchaient. Il était sur terre uniquement pour servir.

Luc et Rinzen échangèrent un regard qui en disait long. Soit le frère était complètement aveugle quand il s'agissait du frère Samuel, soit il avait raison et l'homme n'avait jamais rien fait de mal. Ils prirent congé et retournèrent dans les rues glacées.

Au fil du temps, ses visites s'étaient étirées. Il me racontait ses journées à l'école et les soirées passées en compagnie de ses parents. Sa vie semblait normale, sans nuages. Je l'écoutais me raconter les petits moments de son existence comme s'il s'agissait d'un roman. La bonté de sa mère, l'attention de son père... Pourtant, au bout d'un moment, en dépit de l'innocence de nos conversations, ces rendez-vous clandestins dans le secret du confessionnal ont commencé à me remplir d'un trouble indéfinissable...

29

Rinzen et Luc étaient attablés devant deux bols fumants de *pho ga*, une soupe tonkinoise au poulet, qu'ils dévoraient à belles dents.

Le Pho Saigon ne payait pas de mine. La salle, située au sous-sol, était propre, mais la décoration minimaliste. C'était l'atmosphère familiale, une bouffe authentique, une facture raisonnable et une clientèle presque entièrement composée d'Asiatiques qui faisaient son succès auprès des habitués.

— Ton verdict ?

Luc leva la tête de son plat pour dire rapidement avant d'y replonger :

— T'ouvres mes horizons gastronomiques.

Rinzen sourit. Elle aimait la famille qui tenait ce restaurant sur Saint-Laurent et, chaque fois que l'occasion se présentait, elle se faisait un plaisir de le faire connaître.

Après avoir quitté le frère Théodore, les deux enquêteurs étaient retournés au bureau. Ils étaient en retard sur leurs rapports d'enquête. Le reste de la matinée avait donc été des plus ennuyeuses. Comptes rendus d'entrevues, chronologies d'événements, observations sur les scènes de crime, tout devait être consigné par écrit. Une tâche qui horripilait Luc, qui préférait l'action. Pour Rinzen, qui choisissait toujours l'attitude zen, c'était un mal nécessaire. Elle s'en servait pour clarifier ses idées. Leur devoir accompli, Rinzen avait suggéré qu'ils apportent la liste de disparus pour l'éplucher au restaurant.

— J'ai fait venir les dossiers des hommes âgés de trente à cinquante ans… mais le pathologiste a évalué que l'âge de la victime était davantage entre quarante et cinquante. Je propose qu'on commence avec eux.

Luc, qui jetait un coup d'œil aux documents, dit :

— J'pensais pas qu'il y en avait autant !

— J'sais. On entend juste parler de ceux pour lesquels on lance des avis de recherche parce qu'on a une raison de croire que leur disparition est liée à un acte criminel, ou de ceux qui pourraient être dangereux ou qui ont une condition médicale qui demande de l'attention…

— Mais les autres, qui sont majeurs et vaccinés… Pouf !

Luc avait accompagné son onomatopée d'un geste évocateur qui avait fait sourire Rinzen.

— J'te vois rarement sourire.

— Tu me vois presque toujours autour d'un cadavre. Allez ! Au travail !

Luc retira les dossiers des hommes de trente à quarante ans et divisa le reste en deux. Il tendit une moitié à Rinzen et demanda :

— On cherche quoi ?

— N'importe quoi susceptible de nous faire penser qu'il s'agit de notre homme.

Rinzen déposa sa pile devant elle et ouvrit le premier dossier. Luc avait l'air sceptique.

— Ils pourraient tous être notre homme… Le tronc avait pas de signe distinctif.

— Vrai… et faux. D'accord, il avait pas de tatouage ni de grain de beauté particulier, ni même de tache de naissance, mais…

Luc leva les yeux au ciel.

— Mais… on sait que le torse appartient à un caucasien. Qu'il est recouvert d'une pilosité noire, qu'il ne semble pas avoir de graisse superflue et que son nombril est convexe.

Elle l'impressionnait à tout coup. Il dit :

— On peut donc éliminer les minorités visibles, les blonds et les gros. Pour le nombril, ça m'étonnerait qu'ils en parlent dans les dossiers.

— On gardera ça pour les entrevues avec les personnes qui ont signalé les disparitions.

— Belle entrée en matière… « Bonjour, madame… votre mari avait-il le nombril convexe ou concave ? »

Rinzen rit de bon cœur, puis Luc et elle se concentrèrent sur leurs dossiers. Trente minutes plus tard, ils avaient retenu sept d'entre eux et Luc transmit aussitôt les noms des disparus aux agents affectés aux crimes majeurs. Ces derniers se chargeraient de faire les entrevues de ceux qui avaient signalé les disparitions et de découvrir si le torse numéroté 1764-H pouvait correspondre à l'une des personnes recherchées.

— Tu cherches quelque chose de précis ? demanda Luc une fois son appel terminé.

Rinzen avait ouvert le dossier contenant les photos de la scène de la rue Sainte-Catherine et les examinait.

— Si je l'savais…

Après avoir scruté attentivement les clichés de la victime, Rinzen s'occupa des photos de la chambre du père Samuel et de la salle de bain. Les techniciens avaient été minutieux. Chaque mur, commode, pharmacie, tablette et minuscule objet avait été photographié. Rinzen les étudia consciencieusement avant de passer à celles de l'aire où le corps avait été découvert. Elle en examina quatre, puis s'arrêta sur la cinquième.

— T'as vu ça ?

Elle tendit le cliché à Luc, qui s'en empara. On y voyait l'évier de cuisine avec une partie du comptoir sur lequel reposait une assiette et des ustensiles. Dans l'évier, un bol d'eau brouillée.

— Quoi ?

Rinzen fronçait les sourcils.

— L'eau est brouillée, pourtant la vaisselle sur le comptoir est sale. Elle a pas été lavée. L'eau devrait être claire.

— Clément a peut-être nettoyé autre chose avant. Un chaudron…

— Tu récures tes chaudrons avant tes assiettes ?

— Je lave rien. J'ai un lave-vaisselle.

Rinzen délaissa l'histoire du bol et termina son inspection des photos, sans résultat. Le serveur apporta le thé vert qu'ils avaient commandé. Ils s'en servirent chacun une tasse, puis Luc s'appuya contre le dossier de sa chaise, imité par Rinzen.

— Je me demande à quoi il a pensé… réfléchit Rinzen à voix haute.

— Qui ?

— Le crucifié.

— Quand ?

— Pendant qu'il mourait à petit feu.

Rinzen détailla Luc.

— T'as vraiment pas une once de compassion pour le frère Samuel…

Luc bougea sur son siège.

— C'est pas une obligation.

— Non… c'est vrai.

Rinzen continuait de l'observer.

— Quoi ?

— Je me dis qu'on peut difficilement s'attendre à ce que les autres s'attendrissent sur notre sort quand, soi-même, on peut pas faire preuve de mansuétude à leur égard.

Luc la fixa à son tour.

— Gyatso… c'est la différence entre toi pis moi. Je m'attends à rien des autres. Surtout pas qu'ils s'apitoient sur moi.

Rinzen n'ajouta rien. Au bout d'un moment, Luc dit :

— J'suis désolé… Cette affaire-là touche des cordes sensibles.

Rinzen patienta, puis vit que Luc n'avait pas l'intention d'approfondir. Elle se leva et rangea les photos dans la chemise.

— Est-ce qu'on a reçu le rapport concernant les empreintes prélevées sur la scène ?

Luc se détendit.

— Justement… J'voulais t'en parler. Il y en avait trois différentes. Une appartenait à la victime, la deuxième au livreur de la petite épicerie de quartier, et la troisième a pas encore été identifiée. Si c'est notre meurtrier, on le trouve pas dans le système.

Rinzen réfléchit, puis sourit.

— On a au moins une réponse à nos questions.

— Ah, oui ?

— Si personne a vu le frère Samuel traîner dans le coin, c'est parce qu'il faisait livrer son épicerie.

Luc marmonna que ça ne lui prenait pas grand-chose pour être heureuse.

Rinzen dit :

— La troisième empreinte… Ça pourrait être le frère Théodore.

— Je m'en occupe !

Luc composa un numéro sur son cellulaire et Rinzen en profita pour mettre de l'ordre dans ses pensées. Ils avaient si peu de pistes pour élucider ces deux affaires. S'ils ne trouvaient pas le nom de la victime à qui appartenait le tronc, il ne résoudrait jamais ce dossier. Pour ce qui était du pauvre Samuel… Meurtre ou non, il avait appelé la mort, elle en était certaine. La saleté du lieu et celle de son corps indiquaient qu'il ne lui restait plus une once d'amour-propre. Qu'est-ce qui l'avait poussé jusque-là ? Le portrait que le frère Théodore en avait fait ne correspondait pas à l'image du crucifié…

— On devrait pouvoir comparer l'empreinte prélevée sur la scène avec celle du frère Théodore d'ici la fin de la journée… dit Luc, son appel terminé. Et j'ai du nouveau. On a reçu le rapport préliminaire du pathologiste concernant la cause de décès de notre inconnu.

Luc ouvrit le PDF sur son cellulaire et en lut un extrait.

— Perforation de la jugulaire ayant conduit à la mort.

— Desautels avait vu juste. Il est mort au bout de son sang.

— C'est pas tout.

Luc avait l'air malicieux. Rinzen l'interrogea du regard.

— Le pathologiste indique également que le diamètre et la profondeur de la plaie correspondent à la perforation que causerait un stylo.

Rinzen écarquilla les yeux.

— Ça nous mène où ? demanda Luc.

— Chez Desautels !

Rinzen et Luc demandèrent l'addition et quittèrent le Pho Saigon à la recherche du lieutenant.

30

Desautels eut l'air surpris en voyant arriver les sergents Gyatso et Paradis.

— Qu'est-ce que vous faites ici ?

— On a du nouveau, dit Rinzen.

Le lieutenant eut un geste d'impatience.

— Ça pouvait pas attendre ? On est au milieu d'un cauchemar médiatique.

Après avoir quitté le restaurant, les enquêteurs étaient passés au quartier général, où on les avait informés que Desautels était sur les lieux d'un crime. Ils s'étaient rendus sans se poser de questions entre les rues Metcalfe et Peel, au carré Dorchester. Ils pouvaient donc maintenant juger en personne du merdier dans lequel se trouvait leur supérieur. Un homme à la peau noire était attaché à un arbre en plein milieu d'un parc du centre-ville. Il avait été sauvagement battu et laissé pour mort.

— J'pense que non… commença Rinzen.

— *Fuck* !

La sergente avait été interrompue par le juron de Luc, qui s'était rapproché de la victime qu'on détachait de l'arbre.

— Qu'est-ce qui se passe ? demanda Desautels, qui n'appréciait pas la commotion que son enquêteur venait de créer.

La foule compacte qui entourait les cordons était avide des moindres gestes de chacun. Les journalistes, qui avaient eux aussi été repoussés de l'autre côté du périmètre de sécurité, y allaient de leurs flashes d'appareils photo pendant que les reporters enregistraient des topos en direct au plus petit mot charrié par le vent. Desautels s'approcha de Luc, suivi de Rinzen et des deux enquêteurs affectés à la scène. Rinzen les salua rapidement.

— Si c'est pas Chow Mein, répliqua l'un d'eux.

Rinzen ne sourcilla même pas. Elle ne s'attendait pas à mieux de sa part.

— Paradis !

Desautels l'avait interpellé fermement. Luc se tourna vers lui. Il avait le visage défait.

— Je... je le connais. Je l'ai pas reconnu tout de suite avec ses vêtements, mais je le connais.

Il avait l'air tellement secoué que Desautels dit aux enquêteurs :

— Je m'occupe de l'interroger.

Il emmena Rinzen et Luc dans sa voiture de service. Une fois à l'intérieur, il se tourna vers Luc, assis sur le siège passager, et attendit qu'il parle.

— J'ai eu une aventure avec lui...

— Son nom ?

Luc soupira.

— Je le sais pas. On était au Bareback...

— Jésus-Christ, Paradis ! s'exclama involontairement Desautels. Au Bareback ?

Luc garda le silence. Il était perturbé par ses pensées. L'homme attaché à l'arbre vêtu de son paletot de cachemire et de son costume de qualité avait visiblement une profession libérale et fort probablement une vie familiale. Il n'était pas qu'un corps nu et anonyme croisé dans les couloirs d'un sauna. L'air s'alourdit dans l'habitacle. Rinzen, qui réfléchissait sur la banquette arrière, déclara :

— Les techniciens le décrochaient quand on est arrivés. Il peut pas être resté là longtemps sans que personne s'en rende compte. Le crime a donc eu lieu en plein jour ?

Rinzen regarda Desautels. Celui-ci songea qu'elle venait de comprendre l'étendue de la situation.

— À cause du froid et des rues encore encombrées de neige, il y avait pas foule autour du parc aux aurores. Selon le seul témoin de l'agression, des hommes avec des cagoules ont traîné la victime, qui semblait inconsciente, au centre du carré. Ils l'ont ligotée à l'arbre et ont fui la scène en vitesse.

— *Fuck* !

Luc avait asséné un coup de poing sur le tableau de bord.

— Et vous avez assigné les deux bozos ? Les gars sont racistes et homophobes.

Desautels soupira.

— Les effectifs me permettent pas de faire autrement.

— Et nous autres ?

Luc jeta un regard insistant à Rinzen. Celle-ci dit :

— Maintenant que nos deux affaires sont peut-être liées…

— Quoi ? demanda Desautels, surpris.

— C'est à ce sujet qu'on voulait vous voir.

Desautels fixait ses enquêteurs, incrédule.

— Il pourrait y avoir un lien entre les deux meurtres ?

Rinzen gigota sur la banquette.

— On a découvert un Montblanc par terre devant le tabouret renversé chez Clément. Qu'est-ce que Clément faisait avec un Montblanc ? C'est ça qui m'agaçait. L'objet ne cadrait pas dans le décor. Il aurait pas dû se trouver là. Et maintenant, on apprend que la perforation dans le cou de la victime du fleuve correspond à celle qu'aurait pu faire un stylo. Quelles sont les probabilités que ce soit une coïncidence ? Tuer avec un stylo, c'est pas courant. On parle pas de couteau ou d'arme à feu...

Rinzen attendit avant d'ajouter :

— Ils sont en train d'analyser le Montblanc au labo.

Luc n'avait pas participé à la discussion, car il ne voulait qu'une chose, que Desautels leur accorde l'enquête du carré.

— On va avoir un peu plus de temps, dit Luc en tentant de revenir au sujet précédent.

Desautels le fixa.

— Oublie ça. Pas question que tu t'approches de l'affaire.

— Mais...

— Il n'y a pas de « mais ». La victime est noire et gaie... De toute évidence, on a un crime haineux sur les bras. Penses-tu vraiment, Paradis, que tu pourrais mettre de côté tes émotions ? En plus, tu le connaissais. T'as eu des rapports intimes avec lui. Pas question.

Luc se renfrogna sur le siège. Rinzen posa sa main sur son épaule.

— T'as déjà du trouble avec nos affaires... *Chill.*

Luc resta muet. Desautels se tourna vers Rinzen à l'arrière.

— Gyatso...

— Si on regarde la chronologie, la victime du fleuve serait la première. On a présentement des agents sur le terrain qui interrogent les personnes qui ont signalé les sept disparitions pouvant correspondre à la victime.

Desautels se frotta l'abdomen.

— On va avoir besoin d'échantillons d'ADN.

— J'ai déjà demandé aux agents qu'ils recueillent les brosses à cheveux ayant appartenu aux disparus, précisa Luc.

Desautels sourit intérieurement. Il avait pris la bonne décision quand ils les avaient fait travailler ensemble. Gyatso et Paradis se complétaient à merveille. Un mélange parfait d'intuition et d'action.

— Des impressions ?

Rinzen s'avança la première.

— On pourra pas comprendre la motivation du meurtrier avant de connaître l'identité de la première victime. Mais pour le second crime, celui du père Samuel... Est-ce qu'il aurait vu ou entendu quelque chose qu'il aurait pas dû voir ou entendre ? Être à la mauvaise place au mauvais moment ?

Luc remua sur son siège.

— Paradis ?

Il regarda le lieutenant.

— Possible... Mais pourquoi avoir choisi de tuer le frère Samuel de cette façon ? Le laisser mourir à petit feu pendant une semaine...

La question, bien sûr, embêtait tout le monde. Quelqu'un aurait pu trouver Clément et celui-ci aurait pu dénoncer son agresseur et son crime. Luc se risqua.

— C'était peut-être pour le punir qu'il a été tué.

Desautels soupira. Luc continua son raisonnement.

— Les deux victimes étaient peut-être pas des victimes. Elles ont peut-être fait du tort au meurtrier...

Rinzen questionna Desautels du regard. Celui-ci se mordillait l'intérieur des joues. La réflexion de Luc soulevait encore une fois l'hypothèse de la pédophilie. Il inspira profondément avant de dire :

— Attendons les résultats d'analyse du stylo avant de lier les deux affaires. Concentrons-nous sur l'identification de la victime numéro un. On verra peut-être plus clair après ça.

Luc et Rinzen hochèrent la tête et se préparèrent à quitter la voiture.

— Paradis ?

— Oui ?

— Tout le monde est innocent jusqu'à ce qu'il soit jugé coupable.

Luc se tut et sortit du véhicule. Rinzen continuait de regarder le lieutenant.

— Sergente ?

— Vous êtes d'accord avec Luc. Vous croyez que les victimes étaient des pédophiles.

Desautels avoua avec regret qu'il commençait à trouver l'hypothèse plausible. Rinzen ne dit rien.

— Tu l'es pas, toi ?

Rinzen mit un moment avant de répondre.

— Honnêtement, j'sais plus quoi penser.

Puis elle sortit de la voiture. Desautels ouvrit la boîte à gants et avala deux comprimés pour son estomac avant d'aller affronter l'équipe avec laquelle il aimait le moins travailler et qu'il avait secrètement surnommée Dumb and Dumber, comme les héros du film du même nom.

31

Luc enfonça le point dans le sac de frappe avec une telle force que le cuir se déchira et que le contenu se déversa sur le sol du Jab-Jab.

— Il s'appelle comment ?

Denis Saint-Onge le regardait en riant.

— J'en achèterai un neuf.

— Oublie ça, *man*. C'est pas ta force qui l'a achevé, c'est dix ans de bons et loyaux services. Ça devait arriver un jour ou l'autre.

Luc avait ramassé une corde et commencé à sauter. Saint-Onge le fixait. Au bout d'un long moment, il demanda :

— Qu'est-ce qui se passe ?

— Quoi ?

— T'as l'air d'un gars enragé.

Entre deux sauts, Luc réussit à articuler :

— Tu dis n'importe quoi...

— *Man*, j'en croise une dizaine par jour. J'suis capable de reconnaître les enragés.

Luc s'arrêta. Il était en nage.

— Dans mon bureau, Paradis !

Saint-Onge lui avait donné un ordre comme il le faisait quand il était plus jeune. Cela le fit sourire et il décompressa d'une coche.

— OK, OK... Mais laisse-moi dire une couple de mots à Jonathan avant.

Saint-Onge acquiesça et se dirigea vers son cubicule. Luc s'avança vers le ring, où Jonathan, en compagnie d'un partenaire d'entraînement, pratiquait les jeux de pieds correspondant aux différents coups de poing : jab, jab croisé, uppercut...

— Jonathan ! cria Luc.

Celui-ci s'arrêta et s'approcha des cordes.

— Comment ça se passe ?

Jonathan avait retrouvé sa figure normale. C'était un beau garçon de quatorze ans, qui n'aurait jamais l'apparence d'un matamore, mais qui, grâce à la boxe, gagnerait peut-être un peu d'estime de soi.

— J'suis poche...

Luc sourit.

— Pas mal moins qu'à ton arrivée.

Il réussit à tirer un sourire du visage ténébreux de l'adolescent.

— Continue... Tu vas te renforcir.

— Étais-tu comme moi quand t'as commencé ?

Luc regarda ses traits fins et harmonieux. La vie n'était pas encore parvenue à faire disparaître leur innocence.

— J'arrivais de plus loin que toi.

Puis il frappa son poing contre le gant du jeune homme et s'éloigna en direction du bureau de Saint-Onge.

— Toc toc !

Saint-Onge se tourna vers lui.

— Ferme la porte.

Il tenait un joint dans ses mains. Il l'alluma, en prit une bouffée et le tendit à Luc.

— Non… J'ai besoin de garder la tête claire.

Luc s'écrasa sur le canapé qui faisait face au bureau de Denis. Ce dernier vint le rejoindre.

— Vide ton sac.

Luc remua sur le divan.

— J'me demande ce que j'serais devenu sans toi.

— Je t'ai juste sorti de la rue. Le reste, tu l'as fait tout seul.

Mais Luc n'était pas convaincu. Il doutait de tout depuis que le crucifié était entré dans sa vie. Il croyait son enfance enterrée et la voilà qui refaisait surface pour le troubler. Et ce crime haineux qui s'ajoutait à ses tourments. Sa colère flamba sec. Il donna un violent coup de poing sur l'accoudoir du fauteuil. Saint-Onge agrippa son avant-bras avant qu'il n'assène un autre coup au pauvre divan.

— Assez ! Tu vas me dire ce qui t'arrive.

À la grande surprise de Saint-Onge, Luc fondit en larmes. Il ne l'avait jamais vu pleurer.

J'aurais voulu lui trouver des amis. Je me demandais pourquoi il avait tant de difficultés à s'en faire. L'enfant ne manquait pas d'intelligence et il n'avait pas de handicap physique qui pouvait en faire la proie des tyrans des cours d'école… Mais il avait ces yeux qui vous suppliaient de l'aimer, qui vous dévoraient comme un oiseau de proie. J'avais fini par en conclure qu'il effrayait les autres enfants. Comme il avait commencé à m'effrayer…

32

Il aurait manqué l'entrefilet s'il n'avait pas renversé son jus d'orange sur le journal.

« … L'homme, dont l'identité n'a pas encore été dévoilée, est âgé d'environ quatre-vingt-cinq ans. Il a été trouvé sans vie dans un appartement de la rue Sainte-Catherine Est. Le corps, dans un état de décomposition avancé, laisse croire que sa mort remonterait à plusieurs jours… »

Happé par un sentiment de panique foudroyant, il fut pris d'un violent vertige. Il mit plusieurs minutes à se contrôler et à retrouver un semblant d'équilibre.

Il regarda autour de lui. Sa femme n'avait rien remarqué. Même pas le jus d'orange renversé. Mais ce n'était pas surprenant. Elle était concentrée sur un des sempiternels mots croisés qui la plongeaient dans un autre monde. Il ignorait où et s'en foutait. Il s'accommodait d'elle. Un engagement qu'il s'était forcé à prendre pour qu'on le laisse tranquille. La société était ainsi faite. Le célibat était suspect. Heureusement, les femmes prêtes à marier n'importe quel homme étaient légion.

Il se leva de table et se rendit dans son bureau, où son épouse avait l'interdiction formelle de mettre les pieds.

Là, il savait qu'il pourrait donner libre cours à son chagrin. Cette pensée le désarçonna. Était-ce ce qu'il ressentait ? Du chagrin ?

Il verrouilla la porte et s'installa derrière sa console de travail. Il doutait de pouvoir accomplir quoi que ce soit. Il se sentait comme un bateau à la dérive sur une mer sans fin. Il n'avait plus d'ancrage. Il se laissa tomber contre le dossier de son fauteuil et ferma les yeux. Le visage de son compagnon involontaire des quarante-cinq dernières années apparut aussitôt derrière ses paupières closes. Que deviendrait-il maintenant qu'il n'existait plus ? Il se leva et marcha nerveusement dans son bureau. Il ne savait quoi faire de tous ces sentiments qui l'assaillaient. Était-il possible qu'il ait eu de l'affection pour cet homme ? Si c'était du chagrin qu'il ressentait, il fallait qu'il l'eût aimé… La pensée le terrifia et il fut de nouveau pris de vertige.

Il tremblait de tous ses membres et était trempé de sueur quand sa femme frappa à sa porte. Il dut faire un effort surhumain pour répondre à ses appels répétés.

— J'suis en train de travailler. Ça peut pas attendre ?

Il l'entendit geindre de l'autre côté. Il lui avait promis de l'emmener chez Costco faire les emplettes de Noël. Il se maudit d'avoir eu la faiblesse de lui faire une telle promesse. Mais elle était comme un pitbull après un os quand elle désirait obtenir quelque chose de lui.

— Donne-moi une demi-heure…

Il l'entendit s'éloigner en marmonnant des mots qu'il ne comprit pas, mais qui étaient sûrement de l'ordre de : « Une promesse, c'est une promesse. Tu m'avais promis… » Il sentit la colère monter et prit peur. Il avait une telle rage en lui.

Il ne savait pas quand cela avait commencé. C'était comme si cette rage s'était peu à peu substituée à son sentiment d'insuffisance. Plus il se rendait compte à quel point il était faible et insignifiant aux yeux des autres, plus sa fureur augmentait. Elle avait fini par prendre toute la place. Il vivait avec un monstre en lui. Une bête effroyable qui avait pris possession de son corps et de son âme.

Le désespoir le submergea et les images sacrilèges bombardèrent son cerveau. Dans ces moments, il était envahi par une terreur si grande que son corps tremblait involontairement de la tête aux pieds. L'effort qu'il devait faire pour se calmer était tel qu'il en ressortait épuisé. Et c'est alors que les sanglots montaient, longs, agonisants, dévastateurs.

Il n'avait pas voulu donner libre cours à sa colère, mais elle était devenue incontrôlable. Elle l'avait consumé, comme une flambée dévorante. Les frontières de sa conscience avaient éclaté et il avait perdu tout sens moral. Il n'avait plus été qu'une pulsion meurtrière. Et il l'avait tué.

L'angoisse agrippa sa poitrine si fortement qu'il crut en mourir.

33

Deux cas de disparitions en particulier avaient retenu l'attention des agents envoyés interviewer les personnes qui les avaient signalées. Rinzen et Luc en parlèrent à Desautels, qui autorisa les tests de comparaison des échantillons d'ADN prélevés sur le torse de la victime avec ceux obtenus à partir des cheveux trouvés dans les brosses des disparus. La chance leur sourit à la première tentative. Le torse appartenait à un dénommé Emmanuel Petit, disparu un mois plus tôt.

— Le corps pourrait avoir été mis à l'eau à Hudson et les courants l'auraient charrié jusqu'à Verdun. J'ai vérifié leur trajectoire… C'est possible.

Luc faisait un compte rendu de sa matinée à Rinzen, pendant qu'il les conduisait chez la veuve pour lui annoncer la terrible nouvelle.

— Beau travail…

Rinzen l'écoutait d'une oreille distraite. Elle repassait dans sa tête ce qu'elle avait appris de la victime. Emmanuel Petit était un homme de quarante-six ans, respecté de la communauté huppée où il habitait avec sa femme, Ève Sainclair. Aucun casier judiciaire, même pas une contravention. En engageant la voiture dans l'allée menant à la maison, Luc émit un long sifflement qui la sortit de ses réflexions.

— As-tu vu la baraque ?

Rinzen leva la tête en direction de la résidence. Au bout de l'allée bordée de pins géants trônait un cottage anglais cossu, dont la décoration extérieure à cette période de l'année rappelait un conte de Dickens.

— Ç'a quasiment pas l'air vrai…

Luc gara la voiture dans le stationnement « réservé aux invités », puis ils en descendirent et se présentèrent à la porte de bois massif, ornée d'une couronne rivalisant avec celles des meilleurs fleuristes montréalais. Ils appuyèrent sur la sonnette. Ève Sainclair vint leur ouvrir.

— Oui ?

— Madame Sainclair…

La femme hocha la tête.

— Rinzen Gyatso, Police de Montréal… Mon coéquipier, Luc Paradis.

La veuve blanchit et s'agrippa au chambranle de la porte.

— Peut-être devrions-nous pénétrer à l'intérieur…

Elle les invita à entrer. Ils enlevèrent leurs couvre-chaussures et passèrent au salon, où Ève Sainclair se dirigea aussitôt vers une crédence en bois de rose sur laquelle reposaient différentes carafes. Elle se versa un verre de sherry et l'avala d'un trait.

— Désolée, j'en avais besoin.

Elle leur fit signe de prendre place sur le divan, puis elle leur tourna le dos et se posta devant l'une des portes-fenêtres, d'où pénétrait la lumière diffuse de cet après-midi de décembre.

— Vous avez retrouvé mon mari…

C'était davantage une affirmation qu'une question. Rinzen prit la parole.

— Le corps d'Emmanuel Petit a été repêché en aval sur les rives du Saint-Laurent.

Le choc la traversa, mais elle ne broncha pas. Elle dit simplement :

— Merci.

Après un moment, elle se retourna vers eux. Ses yeux azur flottaient dans l'eau. Luc se dit que c'était probablement une des plus belles femmes qu'il ait jamais vues. Elle était vêtue d'un tricot de cachemire rose perle et d'un pantalon de lainage crème qui épousaient ses courbes parfaites. Ses traits fins, son cou délicat, sa peau satinée et ses cheveux remontés en un chignon indiscipliné parachevaient le tableau de finesse et d'élégance. Elle était magistrale dans sa douleur. Rinzen exprima leurs condoléances.

— Nous sommes désolés pour votre perte.

Ève Sainclair hocha la tête.

— Jamais j'aurais imaginé qu'Emmanuel…

Elle étouffa un sanglot et se reprit.

— Un suicide… C'est inimaginable…

Elle s'arrêta en voyant les enquêteurs échanger des regards obliques. Luc lui recommanda de s'asseoir, mais elle n'en fit rien.

— Videz votre sac, sergent.

— Votre mari s'est pas suicidé. Il a été victime d'une agression.

— J'comprends pas…

Rinzen prit la relève.

— Quelqu'un l'a attaqué, puis a jeté son corps à l'eau.

Ève Sainclair avait les yeux ronds comme ceux d'un cerf figé devant les phares d'une voiture.

— Mon mari a été tué ?

Luc et Rinzen hochèrent la tête simultanément. Puis la veuve Sainclair s'effondra sur la natte de sisal du salon.

34

Un homme, dont ils n'avaient pas remarqué la présence, accourut dès qu'il entendit le bruit sourd du corps de la femme frapper le sol.

— Qu'est-ce qui s'est passé ?

Il avait posé la question à Luc en se penchant sur elle.

— Qui êtes-vous ? demanda plutôt Paradis.

Mais l'étranger fit la sourde oreille et s'enquit de l'état d'Ève Sainclair, qui revenait à elle. Elle le rassura, puis il l'aida à se relever et s'asseoir sur la méridienne derrière elle.

— Vous avez pas répondu… insista Luc.

L'homme interrogea Mme Sainclair du regard.

— C'est mon secrétaire, dit-elle. Thomas Flynn… On travaillait quand vous avez sonné.

Puis elle posa sa main sur l'avant-bras de son employé.

— Thomas… les sergents sont venus m'annoncer qu'Emmanuel est mort. Quelqu'un l'a tué.

Rinzen et Luc avaient les yeux rivés sur l'employé. Sa réaction de désarroi ne semblait pas feinte.

— Un meurtre ? Mais qui aurait pu vouloir tuer Emmanuel ?

L'enquêtrice remarqua qu'il l'avait appelé par son prénom.

— Vous étiez proche du mari de votre employeur ?

Il eut l'air étonné par la question.

— Oui...

Ève Sainclair intervint.

— Le travail de secrétaire exige que la personne entre dans notre vie privée. Au fil du temps, Thomas est devenu un membre de la famille.

Rinzen se demanda si la relation entre eux s'arrêtait là. Après tout, elle avait à peine quarante ans et elle était franchement éblouissante. À vue d'œil, Flynn en avait près de trente-cinq et il aurait pu facilement tomber sous son charme.

— Quelle sorte de travail faites-vous pour avoir besoin d'un secrétaire ?

La question sembla gêner Mme Sainclair, mais elle répondit gracieusement.

— Je gère la fortune familiale et je remplis les obligations sociales qui y sont rattachées.

Luc fronça les sourcils. Thomas l'éclaira aussitôt.

— Ève doit assister à de nombreuses collectes de fonds, soirées de charité... Elle préside également une fondation et elle siège sur les conseils d'administration de deux organismes culturels.

Luc songea que son monde était à des années-lumière de celui de cette femme. Thomas s'empressa de dire :

— Ça peut paraître impressionnant, mais les Sainclair sont... étaient... est...

Mme Sainclair intervint :

— Merci, Thomas.

Ce dernier lui jeta un regard reconnaissant. Rinzen s'approcha de la veuve.

— Votre mari... est-ce qu'il gérait aussi sa fortune personnelle ?

— Non… Emmanuel n'était pas indépendant de fortune. Quand je l'ai connu, j'étais sous ses soins.

— C'était un médecin ?

— Un psychiatre.

Rinzen eut l'air surprise.

— Ne vous inquiétez pas… Il n'a pas commis de faute professionnelle. Après ma thérapie, nous sommes devenus des amis. Puis…

Les larmes lui montèrent aux yeux. Rinzen attendit quelques secondes.

— Je sais que c'est difficile, mais j'aurais encore quelques questions.

Elle hocha la tête.

— Votre mari avait-il des ennemis ? Quelqu'un aurait-il pu lui en vouloir pour une raison ou pour une autre ?

La femme posa son regard meurtri sur elle.

— Si vous l'aviez connu… Emmanuel était littéralement adulé de tout le monde. Il ne correspondait pas à l'image sévère que les gens se font d'un psychiatre.

Luc demanda :

— Est-ce que ça pourrait être un de ses patients ?

— J'en doute. Emmanuel n'avait plus de clients depuis longtemps. Il avait réorienté sa carrière. Il est… Il était à la tête d'un groupe de recherche clinique sur les troubles alimentaires.

Rinzen se dit que c'était probablement pour un de ces troubles alimentaires que la femme avait consulté celui qui allait devenir son mari.

— Le monde de la recherche n'est pas imperméable aux jalousies…

Ève Sainclair posa son regard céruléen sur Luc.

— C'est possible… Mais c'est difficile pour moi d'imaginer quelqu'un haïr ou jalouser Emmanuel au point de vouloir le tuer. Son charisme, son bagout, son intelligence… Personne lui résistait.

Luc fixa Rinzen. La même pensée leur avait traversé la tête. Est-ce qu'ils avaient affaire à un triangle amoureux qui aurait mal fini ? La femme de Petit aurait-elle trucidé son mari parce qu'il la trompait ?

— Nous aurons besoin d'une liste de ses collaborateurs… ajouta Rinzen.

— Thomas va s'en charger.

— … et le nom des personnes auxquelles profite sa mort.

La veuve écarquilla les yeux.

— J'présume qu'il avait fait un testament. Qui hérite ?

— J'suis la seule héritière.

Mme Sainclair regarda Thomas, qui s'empressa de proposer :

— J'peux vous faire une copie du testament si vous le désirez…

Luc sauta sur l'occasion.

— Parfait. C'est dans le bureau ?

Il s'était avancé de quelques pas vers l'entrée du salon, indiquant au secrétaire qu'il était prêt à le suivre. Thomas jeta un coup d'œil à sa patronne, qui hocha la tête en signe d'assentiment.

— C'est par ici…

Thomas prit les devants, suivi du sergent Paradis. Demeurée seule avec Ève Sainclair, Rinzen demanda :

— Votre mari était-il fidèle ?

Étonnamment, la femme sourit.

— Autant qu'un homme avec son charisme pouvait l'être.

— Ce qui veut dire ?

— Que tromper n'était pas un mode de vie pour lui, mais qu'au nombre de tentations qu'il refoulait, il lui est arrivé de céder. Je lui ai toujours pardonné ses « indiscrétions » parce qu'elles étaient sans lendemain. Mon mari m'aimait. Je n'en ai jamais douté.

Peut-être était-ce en raison des conversations qu'elle avait avec Luc, mais Rinzen avait l'impression que les rapports à la sexualité prenaient des couleurs distinctes d'un individu à un autre, indifféremment des genres et des orientations sexuelles. Luc revint dans le salon. Il tenait une copie du testament et, apparemment, une liste de noms. Thomas le suivait de près.

— Je crois que nous avons suffisamment pris de votre temps, dit Rinzen. Encore une fois, nos condoléances.

La femme hocha la tête.

— On aura sûrement d'autres questions pour vous… précisa Luc.

— Je demeure à votre disposition…

Thomas s'offrit de raccompagner les enquêteurs à la porte. Avant de quitter le salon, Rinzen jeta un dernier regard en direction de la veuve. Ève Sainclair fixait le vide.

35

Le temps s'était refroidi pendant qu'ils étaient à l'intérieur. Luc s'empressa de mettre la clé dans le contact et de lancer le chauffage. Rinzen regardait la maison des Sainclair à travers la fenêtre givrée de leur voiture de service.

— Penses-tu qu'ils couchent ensemble ?

— Qui ?

— Thomas Flynn et Ève Sainclair.

— Ça m'étonnerait…

— Pourquoi ? Parce qu'elle est plus vieille que lui ?

— Non, parce qu'il joue pour mon équipe.

— Pardon ?

— Thomas est gai.

— Comment tu sais ça ?

— T'as pas remarqué ?

— Quoi ?

— Il me voulait pour Noël. Ça paraissait dans ses yeux.

Luc sortit du stationnement « réservé aux invités » et se dirigea vers la rue.

— Est-ce que vous avez un code ?

— Quoi ?

— Tu dis que ça paraissait dans ses yeux… Un regard, ça peut être interprété de bien des façons. Est-ce que vous avez une sorte de signe, comme les poignées de main secrètes des Chevaliers de Colomb ?

Luc rit franchement.

— T'es drôle… Tu sais pas reconnaître une invitation dans les yeux d'un homme ?

— C'est pas aussi simple que ça.

— Pour les hommes, oui. Les yeux du secrétaire me disaient : « Je te désire. » C'était pas une demande en mariage. C'est une invitation au sexe. J'suis libre de donner suite ou pas.

Rinzen avait fait l'expérience de quelques *one-night stands* et admettait que l'appel de la chair pouvait être suffisant pour avoir envie de passer un moment avec un inconnu, mais ce n'était pas une expérience qu'elle souhaitait renouveler. Elle en était ressortie insatisfaite sur tous les plans. Cette pensée la ramena à son mari. Le sexe avec lui avait été une communion des corps, une harmonie de sensations et de sentiments. Bien loin du sexe hygiénique des aventures d'un soir.

— Au fond, peut-être que les femmes ont besoin de ressentir plus que du désir dans le regard de l'autre. Et il y a la question de jugement qui entre en jeu quand c'est entre un homme et une femme. C'est encore mal vu pour les femmes d'avoir une sexualité libre…

— Qu'est-ce qu'ils disent ? Les hommes viennent de Mars et les femmes de Vénus ?

Luc rit. Rinzen se retourna pour jeter un dernier regard en direction du cottage pendant qu'ils quittaient l'allée.

— Une si grande maison… Est-ce qu'ils sont vraiment plus heureux que nous autres dans nos petits appartements ?

— Parce qu'on est heureux ?

Rinzen se tourna vers Luc. Il fixait la route devant. Elle attendit qu'il se décide à parler.

— Hier, j'étais avec mon ami du Jab-Jab. Je sais pas ce qui m'a pris… Il m'a demandé comment j'allais et j'ai cassé.

— T'as cassé ?

Luc mit un moment avant de répondre.

— J'ai pleuré. J'avais pas chialé depuis…

Il s'arrêta.

— *Anyway*…

Rinzen l'observa.

— C'est l'enquête qui te fait ça ?

Il haussa les épaules.

— Va savoir…

Ils arrivaient près de la sortie du centre-ville. Luc emprunta la voie menant à la rue Saint-Laurent.

— As-tu l'intention de le revoir ?

— Qui ?

— Thomas Flynn.

Sa question le fit rire.

— Me vois-tu avec lui ?

— Quoi ? Il te plaît pas ?

— C'est pas ça… On circule pas dans les mêmes cercles. Ça m'étonnerait qu'on se croise par hasard.

Rinzen lui lança un regard moqueur.

— C'est vrai. On risque pas de lui reparler pendant l'enquête. Et on a pas accès à son numéro de téléphone…

Ils arrivaient devant la résidence de Rinzen sur Clark. Luc arrêta la voiture et mit les clignotants.

— Mêle-toi pas de ma vie sentimentale, Gyatso.

— J'pensais que t'avais juste une vie sexuelle…

— Tu m'énerves.

Sourire en coin, Rinzen sortit du véhicule.

36

Sashi frappa du plat de sa main l'eau du bain, éclaboussant Rinzen assise sur le rebord. Mission accomplie ! Il avait réussi à avoir son attention.

— T'es dans la lune, maman.

— Désolée, mon minou…

— T'es inquiète ?

— Pourquoi je serais inquiète ?

— À cause de ton travail…

Rinzen fixa son fils et sentit que son observation cachait autre chose.

— Est-ce que t'es inquiet, toi ? À cause de mon travail ?

— Des fois…

Rinzen appréhendait ce moment depuis longtemps. Elle savait qu'un jour son fils ferait le lien entre le travail de son père, qui l'avait conduit à sa mort, et celui de sa mère, qui pourrait en faire tout autant. Elle le sortit de l'eau, l'entoura d'une grosse serviette et le frictionna avant de le serrer dans ses bras.

— Maman est là, chéri. Il faut pas t'en faire. Ce qui est arrivé à ton papa, c'est un mauvais tour du hasard. Personne ne lui a tiré dessus. C'est une balle perdue… Ton père a été victime d'un accident. Mais c'est rare, les accidents. Il faut pas t'en faire…

Rinzen savait qu'elle lui mentait. Il lui semblait que le métier devenait de plus en plus dangereux. Elle se posait elle-même la question. Qu'adviendrait-il de son fils si elle mourait? Ses parents étaient presque octogénaires… Elle ne pourrait pas compter sur eux encore longtemps. Elle se secoua. Elle devait arrêter le train de ses pensées. Vivre dans le moment présent était la seule option saine.

Elle aida Sashi à mettre son pyjama, le fit se brosser les dents et l'emmena au salon embrasser ses grands-parents avant d'aller se coucher. Opame et Sengyé étaient en train de jouer au mah-jong, le jeu de société chinois, avec Zhou et sa femme. Pendant que Sashi faisait la tournée des baisers, elle observa ces vieillards qui faisaient partie de son existence. À eux quatre, ils formaient un puits de savoir incommensurable. Ils avaient traversé des pans d'histoire mémorable et leurs expériences de vie étaient de l'or pour qui savait en bénéficier. Rinzen sentit la tristesse monter dans sa gorge. Le monde dans lequel ils vivaient ne s'intéressait pas à eux. Ils avaient dépassé leur date de péremption. Ils n'étaient plus d'aucune utilité et représentaient un fardeau pour la société.

Mais qu'est-ce que j'ai? songea Rinzen. Je ne me reconnais plus. Elle se ressaisit et appela son fils qui, assis sur les genoux de son grand-père, venait de placer une tuile sur le jeu.

— T'as vu? Je sais jouer.

Bien sûr, c'est Sengyé qui avait choisi la tuile, mais Rinzen n'allait pas gâcher son plaisir.

— Bravo, chéri. Allez… C'est l'heure du dodo.

Sashi ne se fit pas prier et suivit Rinzen dans le corridor menant aux chambres.

— Si tu veux, on peut méditer ensemble…

Rinzen regarda Sashi.

— T'as pas médité avec grand-papa ?

— Oui…

— Petit snoro ! Tu cherches un moyen pour ne pas te coucher tout de suite.

— Non, juré !

Rinzen fronça les sourcils.

— Qu'est-ce qui va pas, mon minou ?

La lèvre inférieure de Sashi se mit à trembler et ses yeux s'emplirent de larmes. Rinzen l'enroba de ses bras.

— Mais qu'est-ce que t'as ?

Entre ses pleurs et ses hoquets, Rinzen finit par comprendre qu'elle avait oublié quel jour on était. Ça faisait six ans aujourd'hui que le père de Sashi était mort. Elle serra son fils contre elle.

— Sashi, ton père sera toujours dans mon cœur. Et quelque part, dans les yeux brillants d'un enfant, la beauté d'une fleur ou l'espièglerie d'un chaton… ton papa continue de vivre.

Sashi semblait rassuré. Rinzen le conduisit dans sa chambre et le borda. Pendant qu'elle lui caressait les cheveux en le regardant s'endormir, ses pensées s'envolèrent ailleurs…

Palais somptueux
Petite maison biscornue
Partout la mort guette

Il y a une telle innocence dans le visage d'un enfant. Une telle invitation à l'aimer, à plonger dans l'infinie pureté de son âme ! J'étais ému chaque fois qu'un de ces jeunes garçons, encore imperméables au mal, pénétrait dans mon confessionnal. Ils représentaient l'espoir. La rédemption des hommes... Comme j'ai été naïf ! Comment ai-je pu confondre une invitation au mal avec un cœur pur ?

37

Desautels regardait sa femme préparer le petit-déjeuner et se demandait comment ça se passerait avec elle s'il prenait sa retraite. Pas qu'il ne l'aimait pas, mais sous certains plans ils étaient des étrangers. Depuis les trente dernières années, ils avaient partagé peu de jours ensemble. Il y avait bien leurs trois semaines de vacances annuelles, mais le reste du temps, ils se voyaient au déjeuner et parfois au souper.

— T'as l'air songeur…

Elle avait surpris son regard absent posé sur elle.

— C'est l'affaire en cours qui te tracasse ?

— Aussi.

Elle fronça les sourcils.

— Quoi d'autre ?

Il n'avait pas envie de discuter de la lourdeur qui l'envahissait par moments, du sentiment d'impuissance qui le paralysait de plus en plus, de la vie qui avait filé entre ses doigts trop rapidement et qu'il ne pourrait plus rattraper.

— Parle-moi du nouvel ouvrage que tu lis…

Elle ne se fit pas prier.

— Celui-là, y est pour toi. Ça s'appelle *Maria*. L'auteur est un historien.

— C'est un livre d'histoire ?

— Quoi ? Non... Un roman policier. Mais t'aimerais la reconstitution que l'auteur fait de l'époque.

— C'est quoi son nom ?

— Hervé Gagnon. Un beau garçon en plus.

Elle avait les yeux qui pétillaient.

— Tu devrais le lire... C'est jamais mauvais d'évaluer la compétition.

Desautels sourit. Toutes les tactiques étaient bonnes pour essayer de le faire lire. Les bols de gruau étant prêts, elle les servit et vint s'asseoir à la table. Ils mangèrent en silence, puis Desautels lança :

— Si je prenais congé et qu'on partait en voyage ?

Sa femme, la bouche grande ouverte, la cuillère à mi-chemin des lèvres, le fixait comme si elle avait vu un mort.

— Un voyage ?

— Franchement, fais pas cette tête-là. On dirait que je t'ai jamais emmenée nulle part.

Elle n'ajouta rien, mais c'était vrai qu'ils ne s'étaient jamais déplacés. Ils prenaient toujours leurs vacances au même endroit. Un chalet sur le bord d'un lac dans le nord, où il passait ses journées à pêcher pendant qu'elle lisait. Elle déposa sa cuillère.

— Toi, t'as quelque chose qui va pas. À part la testostérone qui te fait défaut, est-ce que le médecin t'a parlé d'autre chose ?

— Je t'ai déjà dit que non. Bon Dieu ! Je t'ai juste demandé si tu voulais aller en voyage. Tu vas pas en faire tout un plat ?

Il avait involontairement haussé la voix et il le regrettait. Il la regarda avec des yeux de chien battu. Elle ne cilla pas.

— Il doit bien y avoir quelque chose qui te chicote parce que c'est notre première chicane en trente ans.

Puis elle se leva et quitta la cuisine. Desautels la suivit en soupirant. Il n'allait pas partir de la maison sans qu'ils se soient réconciliés. Le retour n'était jamais garanti. Pas avec le métier qu'il pratiquait. Pas avec ce qu'il avait vu dans le parc la veille.

Et la lourdeur le couvrit de nouveau comme une chape de plomb.

38

Les résultats des analyses du laboratoire concernant le stylo Montblanc trouvé dans l'appartement du frère Samuel étaient arrivés au bureau. Sur la surface du stylo, seules les empreintes du frère Clément étaient identifiables, mais à l'intérieur du manche et de la pointe, ainsi que sur la cartouche et son support, les experts avaient découvert des traces de sang et de chair humaine. Après analyse et comparaison, il avait été conclu que les résidus appartenaient à la victime du fleuve, Emmanuel Petit. Même s'ils avaient imaginé la chose possible, Rinzen et Luc n'en revenaient pas. Auraient-ils pensé à faire analyser le Montblanc si le tronc d'Emmanuel Petit n'avait pas refait surface ?

— Notre métier est fait de déductions et de coups du hasard… dit Paradis.

Rinzen regarda son coéquipier.

— Il faut bien que la chance nous sourie de temps en temps.

— Drôle de chance… À part nous prouver que les deux affaires sont liées, ça nous mène à un cul-de-sac. C'est certainement pas le frère Samuel qui a tué Emmanuel

Petit. Il en aurait pas eu la force. Pas dans son état. On saura probablement jamais comment le stylo s'est retrouvé chez Clément et à qui il appartenait.

— Une chose à la fois, Paradis.

La serveuse de la « caf » déposa deux cafés fumants et un « spécial matin » devant eux. Rinzen repoussa le dossier au bout de la table pour ne pas le tacher, comme elle en avait l'habitude.

— Sauvé et Thériault ont interrogé tous les collaborateurs qui étaient sur la liste que Thomas Flynn m'a remise, commença Luc.

Rinzen jeta un coup d'œil rapide à son coéquipier en entendant le nom du secrétaire. Cela semblait l'amuser au plus haut point.

— OK, ça suffit, Gyatso.

Luc continua son compte rendu.

— Petit a quitté son bureau à seize heures le jour de sa disparition et personne l'a revu par la suite. Les alibis des collaborateurs ont été vérifiés entre seize heures et minuit…

— Et s'il a pas été tué ce jour-là ?

— Faut bien commencer quelque part.

Luc avait raison.

— Donc, on sait que, si le crime a eu lieu entre ces heures-là, tous ses collaborateurs avaient un alibi… et Mme Sainclair et son secrétaire ?

— Même chose. J'ai demandé aux agents de vérifier les alibis des proches, des membres de la famille, etc. Aussi je leur avais demandé de vérifier si les personnes interrogées connaissaient ou avaient entendu parler de Samuel Clément…

— Et ?

— Ç'a rien donné. Pas de suspect potentiel et personne semble connaître Samuel Clément.

Luc prit une bouchée de ses œufs brouillés, puis poursuivit.

— On est pas plus avancés avec les empreintes… Celle qui restait à identifier appartenait bien au frère Théodore. Donc, à moins que ce soit lui le meurtrier…

Luc ne termina pas sa pensée. Rinzen était d'accord. Théodore n'aurait pas pu commettre le crime. Trop vieux, trop faible… Elle hocha la tête, puis se perdit dans ses réflexions. Au bout d'un moment…

— Il faudrait pas négliger le livreur. Qu'est-ce qu'on sait sur lui ?

Elle fouilla dans le dossier à la recherche du compte rendu de l'agent qui avait interviewé le garçon.

— Ah ! Je l'ai !

Elle passa le rapport en revue.

— Moufid Benjelloun, origine marocaine, dix-sept ans… Il travaille à l'épicerie pour payer ses études…

Elle s'interrompit et relut un passage du document.

— Il paraît que le frère Samuel lui faisait peur.

Luc était sceptique.

— Le kid avait peur d'un vieux de quatre-vingt-cinq ans ?

— Ç'a l'air…

Puis Rinzen lut à haute voix un extrait du compte rendu de l'interrogatoire du jeune Moufid.

— « Selon Benjelloun, la victime n'avait pas l'air d'avoir toute sa tête. Il dit que l'homme parlait du diable comme s'il le connaissait personnellement et que Samuel Clément était vraiment épeurant quand il se mettait à parler tout seul. Le témoin a ajouté qu'il avait l'air possédé. »

— Cet enfant-là regarde trop de films de peur…

Rinzen roula des épaules. C'est toujours dans cette région de son corps que la tension se faisait ressentir.

— Tu crois ?

Luc parut surpris.

— Voyons ! Le jeune parle de possession…

— Je me fierais pas à son évaluation des faits, mais je serais curieuse de l'entendre nous rapporter les paroles du frère Samuel.

Luc réfléchit à ce que sa coéquipière venait de dire.

— Le frère Samuel faisait peut-être référence à des actes qui le rapprochaient du diable… Il s'identifiait peut-être au diable.

— C'est une interprétation possible.

— Et la tienne ?

— Il parlait peut-être de celui qui allait le tuer et qu'il considérait comme le diable. Une chose est certaine, faut ajouter Moufid sur la liste des personnes à interroger.

— Et le frère Théodore.

— On l'a déjà interrogé.

— Oui, mais… On lui a pas demandé s'il connaissait Emmanuel Petit.

Cette réflexion mit Rinzen sur une autre piste.

— J'pense à une chose… Il pourrait y avoir un lien entre Clément et Petit…

— Lequel ?

— Celui de confesseur.

39

Rinzen allait frapper à la porte quand son cellulaire carillonna.

— Gyatso… Oui, lieutenant… On s'apprête à interroger de nouveau le frère Théodore. Du nouveau ?

Desautels s'entretint avec elle pendant un moment, puis elle coupa la communication.

— Qu'est-ce qu'il voulait ? demanda Luc.

— Que j'aille le retrouver au carré Dorchester dans une heure.

— Pourquoi ?

Rinzen hésita.

— Desautels veut que t'enquêtes sur l'affaire du carré sans moi… reprit Luc.

— Le lieutenant a pas exactement dit ça, mais j'ai su ce matin qu'il avait retiré les deux bozos de l'enquête. Il va s'en occuper personnellement.

— Il veut que tu fasses équipe avec lui, c'est certain, continua Paradis avec amertume.

— On verra…

Elle appuya sur la sonnette. Le frère Théodore vint leur ouvrir. Il avait l'air moins ébranlé que les dernières fois.

— J'ai appris que vous aviez récupéré le corps du frère Samuel, commença Rinzen en pénétrant dans l'appartement.

— Oui… Le service doit avoir lieu ce vendredi.

Rinzen attendit que l'émotion passe.

— On aurait quelques questions supplémentaires à vous poser.

Le religieux hocha la tête. Il était tout maigre dans ses habits. Encore une fois, Rinzen fut remplie de compassion pour lui. Luc, qui avait fouillé dans sa poche, lui tendit une photo de Petit que le secrétaire leur avait fait parvenir à sa demande. Le frère l'examina et releva des yeux interrogateurs.

— Il s'appelle Emmanuel Petit, dit Rinzen.

— Je ne connais pas cet homme.

— Vous êtes certain ? insista Luc.

— J'ai jamais entendu ce nom-là.

Rinzen et Luc échangèrent un regard, puis Luc prit la parole.

— On a des raisons de croire qu'il y a un lien entre le meurtre du frère Samuel et cet homme qui a également été tué.

Le frère avait les yeux grands écarquillés.

— Pourquoi ?

Ils ne répondirent pas à sa question. Rinzen lui montra plutôt une photo du Montblanc sur son téléphone intelligent.

— Avez-vous déjà vu ce stylo ?

— J'en ai vu des comme ça… Il vient d'où ?

— Il était par terre dans l'appartement de Samuel Clément.

Le frère Théodore était de plus en plus médusé.

— Est-ce qu'il appartenait au frère Samuel ? s'enquit Luc.

Le frère balançait la tête de gauche à droite. Il avait l'air absent de ces petites poupées aux têtes ballottantes qu'on voit parfois dans la vitre arrière des voitures. Il ne parvenait pas à saisir ce qui se passait.

— Samuel n'avait aucune possession à part ses livres de prières et quelques vêtements. Il n'aurait jamais eu un stylo comme ça. C'est un objet de riches…

Rinzen tiqua à sa remarque, mais Théodore enchaîna aussitôt.

— Pourquoi vous vous intéressez au stylo ?

Rinzen expira avant de répondre :

— C'est l'arme du crime commis contre Emmanuel Petit.

— L'homme a été tué avec un stylo ?

Rinzen crut que le frère tournerait de l'œil. Elle acquiesça, puis Luc demanda, avec une certaine impatience, nota-t-elle :

— Est-ce que Samuel Clément peut avoir été le confesseur d'Emmanuel Petit ? Est-ce qu'il y a un moyen de le savoir ?

La question surprit le religieux.

— Je ne vois pas comment. L'anonymat est une part importante du sacrement. Puis il y a le secret de la confession.

Luc eut un geste d'irritation qui fit songer à Rinzen qu'il était temps de mettre fin à l'entrevue.

— Merci, dit-elle en se levant et se dirigeant vers la porte, suivie de près par Luc.

Ils quittèrent l'appartement sans un mot. En sortant de l'édifice, Luc bouscula rudement un homme qui y pénétrait. Sans s'excuser, il continua son chemin.

— Désolée, dit rapidement Rinzen à l'homme, le sergent est pas dans son état normal…

Puis elle partit à la suite de Luc. Quand elle arriva près de lui, elle n'eut pas le temps de lui demander ce qui n'allait pas. Il explosa.

— C'est moi qui devrais être sur l'affaire du carré Dorchester.

— T'as couché avec la victime.

— C'était pas mon amoureux. On s'est croisés dans un sauna. J'avais pas de lien affectif avec lui qui pourrait brouiller mon jugement.

Rinzen le fixa.

— J'suis le mieux placé pour enquêter dans le milieu gai… Qu'est-ce que vous connaissez à notre monde ?

— Aux dernières nouvelles, vous étiez des humains comme les autres.

— Tu sais ce que j'veux dire…

Rinzen réfléchit puis répliqua :

— On va commencer par voir ce que veut Desautels. En attendant, il y a le livreur qu'on désirait interroger…

Luc se dirigea vers la voiture de service sans répondre. Rinzen prit une profonde inspiration, puis elle se rappela les paroles que son père se plaisait à lui répéter lorsqu'elle était jeune. « La paix de l'esprit n'est pas l'absence de conflits, mais l'acceptation de leur existence. »

Eh bien, te voilà servie ! conclut-elle en pénétrant dans la voiture.

Le confessionnal est comme un coffre-fort dont personne n'aurait la combinaison. Un lieu scellé dans lequel les pires scénarios s'avèrent réels sans que personne, à part Dieu, en ait jamais connaissance. J'étais lié par le secret de la confession. Même si j'avais voulu m'épancher, alléger mon âme en révélant mon fardeau, je n'aurais pas pu. Du moins, c'est ce que je croyais ou voulais croire. Maintenant…

40

Desautels avait dû avaler la moitié d'une bouteille de Tums. Avec leurs déclarations imprudentes et irréfléchies, les enquêteurs Dumb and Dumber avaient réussi à transformer l'affaire du carré Dorchester en un véritable cauchemar médiatique. Il n'avait plus eu d'autre choix que de les retirer du dossier avant que la tempête ne se métamorphose en ouragan. Et n'ayant plus d'équipe à qui confier l'enquête, il se voyait forcé de la mener lui-même. Il sursauta en entendant la sonnerie de son portable résonner dans la poche de son paletot.

— Desautels…

C'était sa femme au bout du fil. Elle l'appelait pour lui dire que le voyage était une idée formidable, qu'elle était désolée, qu'elle ne savait pas pourquoi elle avait réagi comme elle l'avait fait. L'espace d'un moment, pendant qu'elle parlait, Desautels se mit à rêver de destinations exotiques, de vieux pays, de fjords nordiques… mais la réalité crue reconquit son territoire et il dut annoncer à sa femme que sa proposition du matin n'était malheureusement plus sur la table. Il lui expliqua qu'il devait prendre en charge une enquête particulièrement sensible. Sa femme ne sembla pas trop déçue. Il avait compris que c'était pour lui faire plaisir qu'elle était revenue sur le sujet. Il savait qu'elle s'inquiétait pour sa santé et elle en avait sûrement déduit qu'un peu de repos lui ferait le plus grand bien. Bien entendu, elle ne termina pas la conversation avant de lui avoir rappelé que « lire, c'est aussi une façon de partir à l'aventure ». Desautels remit son cellulaire dans sa poche en poussant les portes battantes de la morgue.

Toujours aussi grognon, le pathologiste marmonna en le voyant que « ça n'irait pas plus vite parce qu'il était là ».

— J'vais me contenter de ce que t'as déjà trouvé, dit Desautels sans tenir compte de son humeur.

Le spécialiste soupira puis expliqua :

— L'homme a des côtes cassées, des contusions et des ecchymoses à la grandeur du corps, mais le coup fatal a été porté à la tête avec un objet contondant. Si je me fie à la forme de l'indentation dans le crâne... probablement avec une clé en croix.

Desautels fixait le corps étendu sur la table de métal. Non seulement le pauvre avait été battu à mort, mais maintenant le pathologiste le charcutait pour trouver des indices. Il ne reposait certainement pas en paix.

Desautels soupira. Ce crime haineux était-il un fait isolé ou avait-il affaire à un groupe organisé qui ciblait les gais ? Bien sûr, le meurtre pouvait avoir un lien avec la couleur de la peau de l'homme, mais le lieutenant penchait pour un crime lié à son orientation sexuelle. La violence à l'égard des homosexuels avait augmenté considérablement depuis quelque temps. Montréal n'avait pas vu ce genre d'intolérance depuis les années cinquante. Le courant d'extrême droite qui avait balayé le pays ces dernières années avait entraîné son lot de stupidités et de préjugés.

Le pathologiste s'était remis au travail. Il n'avait de toute évidence plus rien à rapporter. Desautels quitta la morgue. En chemin vers le carré Dorchester, il songea qu'il avait eu raison de donner rendez-vous à la sergente Gyatso. Il avait besoin de sa lumière.

41

Rinzen gara la voiture de service dans la rue Peel au nord de Sainte-Catherine et descendit jusqu'au carré Dorchester. Elle souhaitait absorber le quartier. Malgré ce qu'elle avait affirmé devant Luc, elle croyait qu'il avait raison. Desautels voulait faire équipe avec elle, elle en était convaincue.

La température frôlant les moins vingt degrés Celsius, le parc était quasi désert. Seuls quelques professionnels aux pas pressés le traversaient pour aller à des rendez-vous qu'il leur avait été impossible d'annuler. Rinzen regarda à droite et à gauche sans trouver Desautels. Elle survola du regard les abords du carré. Sa voiture était également introuvable. Elle ne s'inquiéta pas pour autant. Le lieutenant avait dû se réfugier au chaud dans un café ou un bistrot. Elle sursauta lorsqu'elle l'entendit l'appeler de la petite rue Cypress qui débouchait sur le parc.

— Gyatso !

Elle traversa Peel pour aller le rejoindre. Desautels l'entraîna alors vers l'ouest jusqu'à la ruelle qui encadrait le stationnement entre les rues Peel et Stanley.

— Qu'est-ce que je fais ici ? demanda Rinzen.

Inutile d'enrober la question.

— Paradis t'a donné du trouble ?

— Luc apprécie pas d'être exclu de l'enquête. Faut le comprendre.

Desautels grogna. Il lui semblait que l'Univers se liguait contre lui.

— J'ai pas besoin de plus d'ennuis que j'en ai déjà avec cette affaire. Les médias ont créé un vent de panique dans la population gaie. Des rumeurs de gang organisé circulent…

Rinzen réfléchit avant de dire :

— Qu'est-ce que j'peux faire ?

— J'veux ton aide ponctuelle. Pour avoir un autre son de cloche…

Rinzen hocha la tête. Puis Desautels l'informa des derniers développements. Apparemment, la scène primaire était dans la ruelle où ils se trouvaient. Sur le mur de briques devant lequel ils s'étaient arrêtés, Rinzen vit les projections de sang.

— Le sang appartient à la victime ?

— Oui. On présume que l'agression a eu lieu ici, puis une fois leur homme mort, les assaillants ont transporté la victime dans le parc pour l'attacher à un arbre.

— Ils désiraient l'exhiber…

Desautels frissonna. L'humidité était encore plus intolérable que le froid glacial.

— Battu sauvagement avec une clé en croix, puis exposé au vu et au su de tous, dit Desautels. Quelqu'un veut envoyer un message.

Rinzen fronça les sourcils.

— Mais à qui ? La population en général ? Les gais ? À ce que je sache, on a « tagué » aucun regroupement anti-gai. Des individus, oui, mais un groupe officiel ?

— Ça veut pas dire qu'il s'en est pas formé un…

Le lieutenant se balançait d'un pied à l'autre.

— Misère ! Si la job me tue pas, l'hiver va le faire. Mon véhicule est dans le parking…

Il l'entraîna vers la voiture et ils y pénétrèrent. Desautels mit la clé dans le contact et lança le chauffage.

— Qu'est-ce que vous voulez que je fasse ? demanda Rinzen.

Desautels lui tendit un papier sur lequel il y avait une adresse.

— La victime demeurait dans une tour de la rue Peel avec son partenaire. J'suis allé avec l'autre équipe. Son compagnon nous a laissés visiter l'appartement, mais il a exigé qu'on respecte les effets personnels de son ami. On pouvait pas fouiller sans son consentement et on avait pas de raisons valables pour demander un mandat de perquisition.

Rinzen avait l'air étonnée.

— Vous pensez que son conjoint pourrait être impliqué ?

Le lieutenant réfléchit à la question.

— Pas à première vue. Son alibi est en béton et sa peine semblait authentique.

— Alors ?

— Quand on l'a interrogé, j'ai eu l'impression qu'il cachait quelque chose. J'aimerais que tu lui rendes visite. Pour avoir une seconde opinion. T'auras sûrement plus le tour que tes confrères…

Rinzen acquiesça, puis quitta le véhicule pour se rendre à l'adresse indiquée sur le papier que Desautels lui avait remis. En chemin, elle se dit que Luc avait raison. Il aurait été plus en mesure de tirer des informations du partenaire de la victime. Elle inspira profondément pour se libérer des pensées négatives qui l'accablaient. Son esprit ventilé, elle sourit. Il ne fallait pas qu'elle oublie.

Jeff Knowland n'était, après tout, qu'un homme privé de la personne qu'il aimait. Comme elle l'avait un jour été…

42

Il n'avait pas réagi lorsqu'un homme l'avait bousculé dans l'entrée de l'immeuble des Frères de Saint-François. Il en avait aussitôt déduit que c'était l'enquêteur affecté à l'affaire. Sa collègue, de minorité visible, avait vendu la mèche. Gyatso… Impossible qu'elle ne soit pas d'origine asiatique. Ils étaient probablement venus interroger les membres de la congrégation.

En apprenant la mort de Samuel, il avait appelé d'un téléphone public pour connaître le nom des inspecteurs chargés de l'enquête. Paradis et Gyatso, lui avait-on répondu avant de lui demander s'il désirait parler à l'un d'eux. Il avait raccroché. Il ne savait pas pourquoi il avait fait ça. Peut-être cela avait-il un lien avec le processus de deuil qu'il ne parvenait pas à entamer… Ou peut-être voulait-il vérifier où en était l'enquête.

Après les excuses de la sergente, il les avait regardés se rendre à leur voiture de service. C'est à ce moment qu'il avait eu l'idée saugrenue de les filer. Trop occupé à discuter, le duo n'avait pas remarqué qu'il avait rebroussé chemin pour aller rejoindre son propre véhicule. Quand ils avaient démarré, il était déjà derrière le volant, prêt à les suivre.

Ils n'avaient pas circulé longtemps. L'auto des enquêteurs s'était arrêtée devant le quartier général de la Police de Montréal et le sergent en était sorti pour pénétrer dans l'édifice. Il n'avait pas salué sa collègue en quittant la voiture. Il avait remarqué que la sergente semblait embêtée.

Il avait hésité quand elle avait redémarré. À quoi cela lui servirait-il de la suivre ? Mais il avait continué. La femme avait frappé son imaginaire. Il se sentait terriblement seul et vulnérable depuis la mort de Samuel.

Au bout d'un moment, ils se retrouvèrent au centre-ville. Il ne gara pas sa voiture lorsqu'elle le fit. Il se contenta de la talonner de son véhicule jusqu'au carré Dorchester, où elle demeura un moment à observer les alentours. Il y avait quelque chose dans son attitude. Une force tranquille. Pourtant c'était un petit bout de femme. Rien dans son physique ne suggérait la force. C'était dans son immobilisme. Une façon qu'elle avait de regarder. Elle absorbait son entourage. Il se surprit à avoir envie de faire sa connaissance.

Il cherchait des yeux un endroit où se stationner quand elle traversa devant son véhicule pour aller rejoindre un homme plus âgé dans la rue sur sa droite. Il éprouva un certain vertige de la savoir si proche. Cela l'étonna. Il ne connaissait pas cette femme. Et elle ne l'attirait pas sexuellement. Pourtant elle le troublait.

Il les vit disparaître vers l'ouest, dans Cypress. Il actionna son clignotant et tourna dans la rue juste à temps pour les voir s'engager dans la ruelle entre Peel et Stanley. Il roula lentement et constata qu'ils discutaient devant un mur de briques. Il gara sa voiture dans le stationnement adjacent à la ruelle, en sortit et fit semblant de vérifier ses essuie-glaces. D'où il était, il pouvait entendre des bribes de leur conversation. Il comprit que l'homme était son lieutenant et qu'ils enquêtaient sur un meurtre commis dans la ruelle. La déférence avec laquelle elle traitait son supérieur était admirable, songea-t-il avant de conclure qu'il n'y avait rien de menaçant dans le comportement de la sergente Gyatso. Encore une fois, il eut la nette impression qu'elle était comme un aimant. Elle attirait à elle. On doit souhaiter se confier, pensa-t-il. Il en prit note mentalement. S'il devait se trouver en sa présence, il lui faudrait faire très attention. Son envie de se rapprocher d'elle était de l'ordre de la pulsion, raisonna-t-il.

Il l'observa encore un temps, puis il la vit monter dans le véhicule de son lieutenant. Il se sentit soulagé. La suivre avait été une mauvaise idée. Il devait reprendre le contrôle de ses actes. Déjà, ses pulsions avaient trop eu raison de lui. Il feignit d'être satisfait de l'état de ses essuie-glaces, pénétra dans sa voiture et quitta le stationnement.

Au lieu de retourner à la maison des frères, il décida de rentrer chez lui. Sa petite aventure lui avait fait comprendre que ce n'était peut-être pas une bonne idée après tout de rendre visite aux collègues de Samuel.

43

L'appartement où logeait Paul Abady, la victime du carré Dorchester, était tout simplement somptueux. Juché au dernier étage de la tour d'habitation, décoré avec un goût exquis, il donnait l'impression de flotter dans une mer de nuages. Le thème nautique, inspiré des maisons de Cape Cod, renforçait cette impression. C'était à la fois étrange et magique de trouver un tel décor dans une construction semblable. Luc fut submergé de sentiments contradictoires en y mettant les pieds.

Il n'avait pas prévu contredire les ordres de son supérieur ou de sa coéquipière, mais en recherchant les coordonnées du livreur, il eut l'impulsion de sortir celles du partenaire d'Abady et, sans réfléchir plus avant, il prit sur lui d'aller l'interroger. Maintenant qu'il était en sa présence, il se demandait s'il était réellement venu pour enquêter ou s'il ne cherchait tout simplement pas un moyen de se faire pardonner. Il était obsédé par l'aventure anonyme qu'il avait eue avec la victime. Le corps qu'il avait possédé sans se soucier de l'homme qui l'habitait. Il savait qu'il n'avait aucune raison de se sentir coupable. La relation était consensuelle. Et elle n'avait aucun lien avec la mort de Paul Abady. Mais cela n'empêchait rien. Il était troublé.

— Comment puis-je vous aider ? demanda Jeff Knowland, le partenaire de la victime.

Knowland était un retraité au début de la soixantaine. Son visage à la peau tannée et sa stature carrée lui conféraient un charme fou, même s'il n'était pas l'image de la beauté. Debout au milieu du salon, avec ses yeux bleu azur qui fixaient un horizon imaginaire, il complétait à merveille l'impression d'être sur un bateau. De plus, son habillement relaxe et ses pieds nus sur le tapis de fibres végétales ne laissaient aucun doute sur son amour de la côte est des États-Unis. Il avait probablement une maison secondaire quelque part à Cape Cod.

— Je…

Luc se rendait compte à quel point c'était stupide de sa part de s'être pointé à l'appartement sans raison officielle, mais le mal était fait. Il lui faudrait maintenant tenter de réparer les pots cassés, sans créer de nouveaux problèmes.

— Sergent Luc Paradis, Police de Montréal. Si vous le voulez bien, j'ai quelques questions à vous poser concernant l'agression de votre conjoint.

Knowland le fixait. Il n'était pas enclin à parler depuis le passage des prédécesseurs de Luc.

— J'ai dit tout ce que j'avais à dire…

Il allait reconduire Luc à la porte quand ce dernier lâcha :

— J'ai connu Paul…

Knowland s'arrêta net.

— Je ne me souviens pas de l'avoir entendu prononcer votre nom.

Luc s'était avancé, mais il ne savait pas où il voulait en venir. Devant son mutisme, Jeff Knowland comprit.

— S'il était pas mort, vous auriez pas su son nom vous non plus.

Reconnaissant, Luc hocha la tête. L'homme traîna sa stature et son regard vers l'immense mur de verre qui délimitait le côté sud de l'appartement. De là, on pouvait voir le fleuve. Ses pensées se perdirent dans les nuages qui dessinaient des arabesques dans le ciel hivernal. Le jour déclinait.

— Si vous l'aviez vraiment connu, vous l'auriez aimé.

Luc était misérable.

— Paul était une lumière.

— Je suis désolé…

— Pour quoi ? Sa mort ? Votre aventure ?

Luc se tut.

— Vous n'auriez rien pu faire. Paul avait besoin de vivre à cent à l'heure. À part sa peau de caramel brûlé, ce qui le rendait attrayant, c'était sa fougue, sa passion, sa générosité… Il rendait tout le monde heureux autour de lui. Mais il avait ses démons.

Luc fronça les sourcils.

— Vous parlez du Bareback ?

L'homme se tourna vers Luc.

— C'est là que vous vous êtes croisés ?

Luc acquiesça.

— Vous devez comprendre alors ce qui le rongeait.

Luc fut étonné.

— Je ne suis pas un habitué de l'endroit. C'était la première fois… et sûrement la dernière.

Knowland sourit.

— Si vous le croyez… Vous aviez des questions à me poser ?

Luc était troublé par les propos de l'homme. Il parvint quand même à se ressaisir.

— Nous sommes enclins à croire que votre partenaire a été victime d'un crime haineux. On craint qu'un groupe anti-gai se soit formé. Paul a-t-il reçu des menaces dernièrement ?

Knowland le fixait. Visiblement, il hésitait à parler.

— Si vous êtes au courant de quoi que ce soit... commença Luc.

Knowland réfléchit un moment avant de dire :

— Vous faites fausse route. Autant je préférerais que Paul ait été victime de fanatiques, qu'il soit mort en héros de la cause gaie, autant je sais que sa mort est plus ordinaire que ça.

— Ordinaire ?

— Paul était un joueur compulsif. Il s'est souvent retrouvé aux prises avec des individus louches à qui il devait de l'argent. La plupart du temps, j'épongeais ses dettes avant qu'il soit trop tard. Mais c'est déjà arrivé qu'ils lui donnent des leçons. Œil au beurre noir, côte cassée, contusions... Jamais rien de trop grave. Sauf une fois. Ils l'ont battu avec une clé en croix. Il voulait pas rapporter l'incident. Paul avait peur qu'ils se vengent sur moi. Je l'ai fait soigner dans la clinique privée d'un ami. Il semble que cette fois ils aient voulu en faire un exemple...

Luc regardait Jeff Knowland sans savoir quoi penser.

— Vous êtes pas dépourvu de moyens...

Knowland sourit.

— Vous vous demandez ce qu'un homme respectable comme moi faisait avec quelqu'un d'aussi... imparfait.

— Oui.

Jeff Knowland planta ses yeux de mer agitée sur Luc.

— Je l'aimais. Il y a pas d'autre explication.

Luc réfléchit.

— Alors, pourquoi avoir caché qu'il était possiblement la victime d'un prêteur ? Vous voulez pas qu'on trouve qui lui a fait ça ?

Knowland le fixait toujours.

— Une mort si ordinaire pour un garçon extraordinaire. Je ne voulais pas que ce soit la dernière image qu'on ait de lui.

Luc attendit un moment puis dit :

— Il faut pas laisser sa mort impunie…

L'homme hocha la tête et, avant qu'il se détourne, Luc vit une larme rouler sur sa joue.

44

Luc était sur le point de quitter l'appartement de Jeff Knowland quand la sonnette se fit entendre. C'était la sergente enquêtrice Rinzen Gyatso qui demandait une entrevue. Knowland jeta un coup d'œil étonné vers Paradis. Celui-ci lui fit signe de la faire monter.

Rinzen foudroya Luc du regard en le voyant dans l'appartement de la victime. L'échange muet entre les deux enquêteurs ne passa pas inaperçu de Jeff Knowland. Mais contrairement à ce que Luc craignait, cela le fit sourire.

— Allez-vous m'expliquer ou faut-il que je devine?

Rinzen commença par se présenter, puis laissa à Luc le soin de répondre à la question de l'homme. Elle ne savait quel mensonge il avait pu inventer et elle ne désirait pas envenimer la situation. À sa grande surprise, Luc avoua franchement toute l'histoire. Les réserves de son supérieur à lui confier l'enquête, l'impulsion soudaine de lui rendre visite…

— Ne vous en faites pas, sergente, dit Knowland. Je ne vais pas rapporter votre coéquipier.

Luc raconta ensuite à Rinzen ce qu'il avait découvert au sujet de la mort de Paul Abady.

— Vous êtes sûr qu'il s'agit des mêmes individus ? demanda Rinzen.

Knowland soupira.

— Je n'ai pas de preuves, mais j'en suis certain. J'ai toujours su que ça arriverait. Le sexe, le jeu... Paul était un être incandescent. Il a fini par se consumer.

L'homme retenait sa peine avec difficulté. D'un commun accord, Luc et Rinzen prirent congé après l'avoir averti de se présenter au poste dans les vingt-quatre heures pour signer une déclaration. Quelques minutes plus tard, Luc et Rinzen sortaient de l'édifice de la rue Peel.

Une fois sur le trottoir, l'enquêtrice appela le lieutenant Desautels. Après s'être renseignée sur l'endroit où il se trouvait, elle l'avisa que Luc et elle avaient du nouveau concernant l'affaire du carré Dorchester et qu'ils étaient en route pour le rejoindre. Elle raccrocha avant qu'il réagisse. Sa réaction ne tarda pas cependant à se manifester lorsqu'ils mirent les pieds à la « caf », où il les attendait.

— Si je comprends bien, vous avez désobéi à un ordre direct en enquêtant ensemble.

Luc allait répondre quand Rinzen l'interrompit.

— On aurait pas pu découvrir ce qu'on a découvert si Luc avait pas été là. L'homme s'est confié parce qu'il avait confiance en Luc.

Ensuite, Rinzen encouragea Luc à raconter ce qu'il avait appris de l'affaire. Comme elle n'était pas présente au moment où Knowland avait tout révélé et qu'elle ne souhaitait pas que Desautels le sache, elle préférait que Luc narre les faits. Quand il eut terminé le récit complet de sa conversation, Desautels dit :

— Étonnant quand même que vous ayez eu cette conversation en présence de Rinzen...

Ils ne l'avaient pas dupé une seule seconde, mais Desautels n'insista pas. Il était simplement content que ce dossier soit en voie de résolution. Ça ne serait pas une mince affaire de trouver les responsables de l'attaque, mais au moins il savait maintenant dans quelle direction chercher et, surtout, il n'avait pas affaire à un groupe anti-gai.

— Faudrait pas recommencer un manège comme celui-là…

— Promis ! dit Luc aussitôt.

Sa promesse s'adressait autant à Rinzen qu'au lieutenant.

La conversation fut interrompue, le temps que la serveuse leur demande si elle pouvait leur servir un dernier café, car elle allait fermer. Ils déclinèrent et Desautels réclama l'addition. Rinzen regarda à l'extérieur. Il n'était que seize heures et déjà il faisait noir.

— Les apparences… commença-t-elle.

Luc et Desautels se tournèrent vers elle.

— Qu'est-ce qu'elles ont, les apparences ? dit le lieutenant.

Rinzen réfléchit quelques secondes.

— Dehors, il y a apparence de nuit, alors qu'on est encore en après-midi. Le meurtre du carré Dorchester semblait un crime haineux, mais il apparaît que c'est tout autre chose. Nous n'avions aucune raison de croire que les morts étaient liées, pourtant elles le sont. Les apparences nous jouent des tours…

Luc et Desautels se consultèrent du regard. Encore une fois, Rinzen les entraînait dans les méandres de son cerveau atypique.

— Et ? demanda Luc.

Rinzen posa ses yeux perçants sur lui.

— On oublie que les apparences sont trompeuses. On les prend pour des vérités. C'est une erreur.

Puis elle se leva. Desautels et Luc se regardèrent de nouveau. Ils n'en sauraient pas plus.

J'ai eu beaucoup de temps pour réfléchir à la question. Essayer de comprendre comment j'avais été pris dans ce guet-apens. Comment j'avais pu me laisser corrompre... Bien sûr, il y avait ces yeux de guimauve qui me mangeaient, mais c'était plus que cela. Il était très intelligent, même si ça ne se voyait pas au premier abord. Une intelligence fulgurante, qui se manifestait au compte-gouttes, et dont on ne comprenait l'ampleur qu'une fois pris au filet.

45

Gyatso et Paradis, après en avoir discuté, avaient convenu qu'une nouvelle visite chez la veuve Sainclair s'imposait. Le frère Théodore avait piqué l'intérêt de Rinzen en qualifiant le stylo trouvé dans l'appartement de Samuel d'« objet de riches ». Et s'il appartenait à l'autre victime ? Ils avaient donc pris rendez-vous avec le secrétaire et étaient retournés à la propriété.

Ève Sainclair fixait la photo du Montblanc. Les souvenirs de ce Noël de 2004 où Emmanuel Petit l'avait demandée en mariage remontèrent cruellement à la surface.

— Le stylo appartenait à mon mari. Un cadeau de son père…

— C'est un des modèles les plus anciens, dit Rinzen, et Montblanc en fabrique toujours. Vous êtes certaine que c'est celui de votre époux ?

La veuve eut un sourire. Elle fit glisser son doigt sur le iPhone de Rinzen pour retourner à la photo précédente, où l'on voyait clairement l'extrémité du stylo. Elle tendit l'appareil à l'enquêtrice.

— Il y a une petite encoche au bout de la pointe. Emmanuel avait la mauvaise habitude de jouer avec son stylo lorsqu'il réfléchissait. Il torturait la pauvre chose. Il l'a malmenée une fois de trop et la pointe s'est rebellée…

Rinzen échangea un regard avec Luc.

— Tu te souviens de cette manie qu'il avait ? demanda la veuve à l'intention de son secrétaire, qui assistait à l'entretien. Il tambourinait sur tout avec l'objet…

Les enquêteurs observèrent le jeune homme.

— Il emmerdait tout le monde avec ça.

— Mais comme on lui pardonnait toujours tout… ajouta tristement la femme d'Emmanuel. Où l'avez-vous trouvé ?

Ève Sainclair posait la question, car on lui avait appris l'état dans lequel on avait découvert le corps de son mari. Il ne pouvait donc pas l'avoir eu sur lui.

— C'est ce qui nous embête… répondit Luc. Le stylo était par terre dans l'appartement d'une autre victime.

— Pardon ? Il y a une deuxième victime ?

— Oui. Le frère Samuel Clément, dit Rinzen.

— J'ai déjà entendu ce nom…

Elle regarda en direction de Thomas Flynn. Les enquêteurs en firent autant.

— Les agents qui sont venus vérifier nos alibis nous ont posé des questions sur lui.

En quête de confirmation, le secrétaire termina sa phrase en fixant le sergent Paradis. Celui-ci hocha la tête.

— Ah, oui… Ça me revient, dit Ève Sainclair après un moment.

Mais la pauvre femme avait l'air complètement égarée. Rinzen s'assit près d'elle.

— Madame Sainclair… votre mari avait-il un confesseur ?

— Un confesseur ?

Elle eut un rire nerveux.

— Emmanuel était un athée… féroce. J'comprends pas où vous voulez en venir…

Si Rinzen et Luc l'avaient su, ils l'auraient volontairement mise au courant. Mais ils allaient à la pêche et aucune des lignes ne semblait avoir le bon appât. Ça ne mordait pas.

— On ne s'explique pas ce que le stylo de votre mari faisait chez cet homme…, avança Rinzen.

Irritée, perdue, la femme se leva d'un coup.

— Mais qu'est-ce que ça peut bien faire ? C'est juste un damné stylo !

— Non, madame Sainclair, répliqua Luc, c'est l'arme du crime commis contre votre mari.

La veuve Sainclair se figea.

— Vous êtes certain ? demanda Thomas, étonné.

— Aucun doute possible, dit Rinzen avec regret.

La complexité de l'enquête flotta dans l'air un moment, puis, n'ayant plus d'autres questions, Rinzen et Luc s'excusèrent auprès d'Ève Sainclair. Thomas Flynn insista pour les reconduire à la porte. Cette fois, Rinzen remarqua le regard lascif qu'il posait sur Luc. C'était vrai qu'il le voulait pour Noël. Elle étouffa un fou rire.

46

Après avoir quitté la résidence d'Ève Sainclair, les enquêteurs se rendirent à l'épicerie près de l'appartement de Samuel Clément. Ils avaient l'intention d'interroger le livreur Moufid Benjelloun. À leur arrivée, ils le trouvèrent à l'arrière, où il déballait des boîtes pour son employeur. Le garçon les accueillit avec politesse.

— On veut seulement avoir quelques précisions sur ta déclaration, Moufid, dit Rinzen.

Le jeune homme hocha la tête. Il comprenait.

— Tu as dit que le frère Samuel te faisait peur. Pourquoi ?

Moufid fit un mouvement circulaire près de sa tempe avec son index.

— Il avait pas toute sa tête ? suggéra Luc.

— Le vieux parlait tout seul.

Rinzen regarda Luc, puis demanda :

— Te souviens-tu de ses paroles exactes ?

Benjelloun réfléchit un moment.

— C'est difficile... C'était un charabia. Il était obsédé par le diable. Il disait qu'il le connaissait...

Rinzen mit de l'ordre dans ses idées avant de continuer :

— Es-tu allé plusieurs fois chez lui?

— J'y allais depuis quelques mois, me semble.

— Est-ce qu'il t'a apparu « dérangé » dès votre première rencontre?

Le jeune garçon eut l'air surpris par la question.

— Maintenant que j'y pense... non. Il était maigre, et vieux, et... triste, mais il délirait pas.

— Peux-tu essayer de te souvenir quand ça a commencé? ajouta Luc.

— Deux semaines avant la dernière fois où je l'ai vu? J'me rappelle pas exactement. J'me souviens que, lorsque je l'ai vu tourner en rond et parler tout seul la première fois, j'ai eu vraiment peur.

— À part son comportement, est-ce qu'il y a autre chose qui t'a frappé ce jour-là? insista Rinzen.

— J'comprends pas...

— As-tu remarqué quelque chose de différent dans l'appartement, par exemple.

Moufid réfléchit.

— Non...

Luc et Rinzen se consultèrent du regard. Ils n'avaient plus de questions. Ils remercièrent le garçon. Ils allaient passer à l'avant de l'épicerie quand celui-ci dit:

— J'ai rien vu dans l'appartement, mais le vieux avait un stylo dans ses mains. Il arrêtait pas de le fixer avec ses yeux exorbités. Je l'ai remarqué parce que c'était un stylo chic.

— C'est compréhensible, dit Rinzen, en essayant de contenir sa fébrilité.

Elle fit mine de repartir, puis elle ajouta:

— Oh, j'oubliais... As-tu déjà croisé des visiteurs en allant livrer l'épicerie chez Samuel?

— Une fois... le jour du stylo.

Rinzen inspira un grand coup avant de poursuivre.

— Ah oui ? Pourrais-tu nous le décrire ?

— Je l'ai vu juste une seconde en montant les escaliers…

Luc s'avança.

— Fais un effort…

— Euh… Il était un peu plus grand que moi. J'peux même pas vous dire la couleur de ses cheveux. On gelait dehors, alors il avait remonté son capuchon pour sortir. C'est pas comme si je lui avais parlé. Il avait l'air pressé.

— Te souviens-tu de la couleur de son manteau ?

— Gris… il me semble. Et c'était pas comme un Kanuk.

— Un paletot de laine ?

— Genre… Un manteau long.

Rinzen et Luc le remercièrent et quittèrent l'épicerie en vitesse. En pénétrant dans leur véhicule, Rinzen dit :

— Chronologiquement, ça pourrait fonctionner.

Luc acquiesça.

— Si on se fie à Benjelloun, Samuel s'est retrouvé avec le stylo à peu près au moment où on présume que Petit a été agressé. Exact ?

Rinzen réfléchit.

— Le meurtrier aurait donc rendu visite à Clément juste après avoir tué Petit. Pourquoi ? Se vanter ? Lui faire peur ? Quel est le lien entre Clément et Petit ?

— Si le tueur lui a avoué son crime, ça expliquerait pourquoi Clément a disjoncté…

Ils se turent un moment. Puis Luc conclut, découragé :

— Mais ça nous dit pas qui est le tueur.

— Non… Mais on sait qu'un gars d'environ un mètre soixante-dix avec un long manteau de laine gris à capuchon se trouvait à l'appartement de Clément le jour même où, possiblement, le tueur s'y est pointé.

— Ou… le capuchon est le tueur.

Rinzen lui sourit. Luc la contempla. Il enviait sa capacité de se réjouir de rien.

47

Le lieutenant Desautels regardait d'un air douteux le plat que sa femme avait déposé devant lui : des ris de veau au vin blanc et pleurotes.

— Fais pas ta fine bouche. C'est des abats, comme ton foie pis tes rognons.

— Il y a une différence entre des organes et des glandes.

— Mange les champignons, d'abord.

À son ton, il sut qu'elle n'appréciait pas son manque d'enthousiasme. Il s'en voulut.

— J'ai vu que t'avais acheté un nouveau livre…

— Essaye pas. Tu t'en tireras pas comme ça.

Desautels soupira. Il n'avait pas le choix. Avec réticence, il planta sa fourchette dans une noix de ris de veau, la porta à sa bouche, puis y goûta du bout des dents. À sa grande surprise, il fut séduit par la tendreté de l'abat et sa saveur délicate.

— J'sais pas si c'est la cuisinière ou la glande, mais c'est bon.

Sa femme sourit. Ils mangèrent en silence pendant un moment, puis…

— L'auteure s'appelle Maureen Martineau. Elle est très engagée socialement. T'aimerais ses enquêtes…

— J'ai mon lot d'enquêtes.

Il avait laissé tomber la phrase sans réfléchir. Sa femme le fixa.

— Gerry…

Desautels la regarda.

— J'ai pensé à ton problème.

— J'ai pas de problème.

— T'en as un. Tu me dis qu'il est pas médical, je te crois. Mais t'en as un.

Desautels repoussa son assiette.

— T'as pas d'entrain. T'as toujours l'air triste. Tu te plains que tu vieillis. Ton métier t'intéresse plus… T'as besoin d'une passion.

— Achale-moi pas avec tes livres !

Il s'était levé.

— Je te parle pas de livres. C'est ma passion à moi. Mais toi, à part le scotch, qu'est-ce qui t'allume ?

— Toi.

— Vraiment ? C'est quand la dernière fois qu'on l'a fait ?

Desautels secoua les épaules. Il ne voulait pas avoir cette conversation.

La femme de Desautels n'était pas psychologue. Elle n'avait pas fait d'études avancées. Mais elle avait un sens inné des hommes. Elle savait que l'absence de passion, comme un trop-plein, ne menait à rien de bon. Un homme avait besoin de se sentir défié et utile. Son mari n'avait plus de défi, et son métier, qui ne parvenait jamais à enrayer le mal, lui donnait un sentiment d'inutilité.

— J'suis sérieuse, Gerry. Tu devrais peut-être demander à voir une psy. J'suis certaine que le service peut t'en trouver une. Elle pourrait t'aider à faire le ménage dans ta tête.

Son mari la regardait comme si elle venait de blasphémer.

— C'est tes romans qui te mettent ces idées de fou dans la tienne ?

Il lui tourna le dos et se dirigea vers l'escalier menant à l'étage.

— Desautels !

Il s'arrêta net.

— Ça marche peut-être avec tes enquêteurs, mais pas avec moi. On avait une conversation et j'aimerais ça qu'on la finisse.

Desautels revint vers elle.

— Qu'est-ce que tu veux que je te dise ?

— Que tu vas essayer de comprendre ce qui va pas. Avec ou sans psy. C'était juste une suggestion. Tu peux aussi tenter de m'en parler...

Desautels était misérable. Sa femme eut pitié de lui. Elle vint à lui et l'enlaça.

— Gerry... On peut pas continuer comme ça. Et penses-y... si t'es comme ça à la maison, tu dois pas être très fonctionnel à l'ouvrage non plus.

Elle l'embrassa sur le front et alla desservir la table. Desautels passa au salon, où il s'écrasa dans son fauteuil. Les mots de sa femme faisaient leur chemin. Autant il s'opposait férocement à l'idée de parler de ses sentiments avec qui que ce soit, autant il savait que sa compagne avait raison. Il lui fallait trouver le moyen de se vider le cœur.

Il demeura dans le salon à réfléchir pendant plus de deux heures quand une idée émergea dans son cerveau. Il sourit. Sa femme serait ravie.

48

Opame observait Rinzen qui jouait avec Sashi et ses souvenirs d'enfance remontèrent à la surface.

Ses parents possédaient une petite ferme à la sortie de Lhassa. La terre était aride et le travail, ardu. Ils utilisaient les méthodes anciennes, un araire en bois muni d'un soc en fer tiré par un *dzo*, croisement entre le bœuf et le yak. Malgré le dur labeur, leur existence était remplie de joies simples. Même si elle s'était mieux adaptée à la vie nord-américaine que son mari, Opame avait quelquefois la nostalgie de cette époque où il était plus facile d'accorder son quotidien avec la philosophie bouddhiste. Leur terre d'adoption leur avait créé un réel défi. Ils avaient dû faire des efforts constants pour résister à la société de consommation qui les avait accueillis, où la compassion cédait de plus en plus sa place à l'égoïsme et la cupidité. Qu'adviendrait-il de sa fille ? Son chemin était déjà plus complexe que le sien. Née au Québec, elle se devait d'être en continuelle adaptation à son environnement pour préserver la culture tibétaine que ses parents lui avaient transmise. Mais Sashi ? Un bouddhiste tibétain de troisième génération… Parviendrait-il à trouver un équilibre ?

Les éclats de rire de Sashi la tirèrent de ses pensées. Rinzen le pourchassait dans l'appartement en faisant semblant d'être un yak en colère. Le petit s'amusait comme un fou. Opame dut se rendre à l'évidence. Pour l'instant, du moins, Sashi était aussi heureux qu'elle l'avait été, enfant, quand son père lui courait après, comme Rinzen le faisait, en imitant le grognement de l'animal.

— Bon ! Assez !

Éreintée, Rinzen s'écrasa sur le canapé du salon. Sashi se recroquevilla sur ses genoux.

— Maman ? appela Rinzen.

Opame, qui était dans la cuisine, se pointa le bout du nez.

— Qu'est-ce qu'il y a ?

— Tu veux t'asseoir un peu avec nous ?

— J'préparais le souper...

— J'irai t'aider après.

Opame détailla sa fille avant de décider de prendre place dans un fauteuil.

— Qu'est-ce que ta vieille mère peut faire pour toi ?

Rinzen fronça les sourcils. Opame utilisait cette formule depuis un moment. Sa fille se demanda si elle ne tentait pas de lui faire comprendre autre chose que le fait que, dans moins d'un mois, elle serait octogénaire.

— Ta présence me suffit.

Opame observait sa fille qui caressait la tête de son fils. Elle se doutait qu'elle avait une confidence à lui faire. Mais elle savait qu'il ne servait à rien de la brusquer.

— J'veux te réciter un haïku que j'ai composé...

Opame hocha la tête et ferma les yeux, prête à écouter le poème de sa fille. Sashi l'imita, ce qui fit sourire Rinzen. Puis elle inspira profondément avant de commencer...

Vent doux de printemps
Frissons qui courent sur la peau
Souvenirs d'amour

Sashi applaudit, même s'il n'avait aucune idée du sens du poème. Rinzen regarda sa mère. Une larme brillait au coin de sa paupière. Sa fille s'était mariée au printemps.

— On en parle jamais… lui dit Rinzen.

Ce n'était pas un reproche. C'était un constat. Ils ne parlaient jamais de son mari.

— Benoît me manque aussi, dit simplement Opame.

Rinzen lui sourit.

— Sashi a besoin d'entendre parler de lui, et moi… j'ai besoin qu'il existe ailleurs que dans ma douleur.

Sashi les écoutait, un sourire aux lèvres. Il comprenait qu'elles discutaient de son papa. Ce simple fait le rendait heureux.

— On va y remédier…

Puis Opame se leva et se dirigea vers la cuisine.

— Viens, Sashi ! Ce soir, on mange le plat préféré de ton père !

Sashi sauta des genoux de Rinzen et courut à la suite de sa grand-mère. Rinzen songea qu'elle n'aurait pas voulu d'autre mère que la sienne. Puis ses pensées retournèrent aux réflexions qui, en tout premier lieu, l'avaient menée à songer à son mari. Comment cet homme, qui était maintenant seul dans sa tour d'ivoire rue Peel, survivrait-il à la perte de son compagnon ? Il n'avait pas la chance d'avoir sa famille.

49

Luc balança un dernier uppercut bien senti au sac de frappe puis s'arrêta à bout de souffle et en sueur. Il attaquait le sac depuis près d'une heure. Cela suffisait. Il s'épongea le visage et les aisselles, puis s'assit sur un banc quelques instants, le temps de redescendre sur terre.

Comme il ne parvenait pas à s'endormir, Luc s'était rendu au Jab-Jab après les heures d'ouverture. Le studio de boxe était désert et, à part quelques spots allumés ici et là, plongé dans la pénombre. On n'y entendait que le son de sa respiration. Peu à peu, son corps se calma et sa rage se résorba. Sa rencontre avec Jeff Knowland, le partenaire de Paul Abady, l'avait troublé. Était-ce l'amour inconditionnel de cet homme pour Abady qui l'avait touché ? Était-il envieux de ce bonheur que le couple s'était donné le droit d'avoir ? Ou était-ce sa remarque concernant le Bareback ? « Si vous le croyez... » avait dit Knowland en réponse à son affirmation que c'était la dernière fois qu'il y mettait les pieds. Pourquoi avait-il dit ça ? Qu'est-ce qu'il croyait savoir sur Luc que celui-ci ignorait ? Ça suffit ! s'ordonna Luc, qui ne désirait pas explorer plus avant les recoins sombres de son subconscient. Ça suffit...

Il allait prendre le chemin des douches quand son portable, laissé sur le banc, l'avertit qu'il avait un message. Il en vérifia la provenance. Sur l'application Grindr, quelqu'un l'invitait à se joindre à lui. Il allait ignorer l'invitation lorsqu'il vit le nom du demandeur... Thomas Flynn. Le secrétaire d'Ève Sainclair l'avait recherché sur Grindr. Au souvenir du désir qu'il avait lu dans ses yeux, il se dit que c'était peut-être justement ce dont il avait besoin pour endormir le hamster qui tournait en rond dans son cerveau. Il hésita encore quelques instants, puis lui donna rendez-vous au Jab-Jab. Un lieu impersonnel, mais son terrain de jeu. Thomas acquiesça aussitôt. Il serait là dans vingt minutes tout au plus.

Luc eut le temps de se doucher avant que Thomas sonne à la porte du studio. Il descendit lui ouvrir et le fit monter à l'étage.

Le Jab-Jab n'était pas un studio de boxe luxueux du centre-ville. Denis Saint-Onge le conservait dans un état impeccable, mais la propreté était le seul luxe qu'il pouvait se permettre. La peinture datait, les planchers de bois craquaient et les équipements souffraient d'usure. Thomas Flynn détonnait dans son habit Hugo Boss, et le fossé qu'il y avait entre son monde et celui de Luc parut encore plus évident. Luc regretta d'avoir répondu à son invitation. Il ne serait pas le divertissement dont il avait besoin. Et il faisait partie d'une enquête en cours. Il maudit intérieurement son manque de jugement et se fit la réflexion qu'il était en voie d'en faire une habitude.

— J'en ai envie depuis la première fois que je t'ai vu, dit Thomas en s'approchant de lui et en faisant glisser sa main sur son ventre musclé.

Luc avait revêtu son jeans à la hâte, mais il était demeuré torse nu. Il eut le réflexe de se couvrir. Mais qu'est-ce que j'ai ? songea-t-il. Ce gars-là, c'est du bonbon. Croque-le ! Mais il n'y avait rien à faire. Il se dégagea.

— C'est pas une bonne idée...

Thomas Flynn resta saisi.

— Mais j'croyais que...

— Moi aussi, mais non finalement.

Le secrétaire était déboussolé. Il n'avait pas l'habitude d'être rejeté.

— J'te plais pas ?

Luc planta ses yeux dans les siens.

— Oui, mais t'es mêlé à une enquête en cours... Comme j'disais, c'est pas une bonne idée. Tu ferais mieux de t'en aller.

— On peut juste jaser si tu veux...

Flynn avait l'air tellement déçu que Luc prit pitié de lui. Après tout, il l'avait mené en bateau. Il l'invita à le suivre dans le bureau de Saint-Onge.

— On va être plus à l'aise.

La conversation s'avéra plus agréable que Luc ne l'avait prévu. Bien sûr, il n'aurait pas pu deviner en voyant Thomas chez Ève Sainclair que celui-ci était le fils d'un policier.

— J'suis trop jeune pour être ton père, dit Luc en riant.

Thomas répondit le plus sérieusement du monde qu'il ne cherchait pas un père. Il en avait eu un merveilleux. Il ne tenait pas à le remplacer. Il souhaitait tout de même trouver les qualités de ce dernier chez un homme.

— Mon père était bon. Avec une ouverture d'esprit rare pour son époque et son métier de policier. Il me manque...

L'intimité de la conversation commençait à gêner Luc. Il remua sur le divan et chercha une échappatoire.

— Aucun rapport, mais… il était comment, Emmanuel Petit ? Tu peux me dire la vérité, maintenant que ta patronne est pas là.

Thomas réfléchit un moment avant de répondre.

— C'était un homme brillant, admiré de tous, mais…

Il hésita à poursuivre.

— Mais ?

— Mais fallait pas avoir besoin de lui.

— J'comprends pas…

— C'est difficile à expliquer… Il fallait se contenter de vivoter à côté de lui.

Luc se perdit dans ses pensées. Thomas l'observa un instant, puis…

— Toi… Ta famille ?

Luc le fixa avant de répondre.

— J'en ai pas. Et c'est très bien. J'aime ça comme ça.

— Tu t'ennuies pas, des fois ?

— M'ennuyer ?

— T'as pas envie d'avoir quelqu'un qui t'attend à la maison ?

Luc voulait qu'il arrête de se confier. Il voulait qu'il quitte le Jab-Jab et n'y remette jamais les pieds. Mais il était si vulnérable, si hors contexte sur ce divan dans son beau costume…

— Moi, j'aimerais… commença Flynn.

Luc se rua sur lui et l'embrassa à pleine bouche. C'est le seul moyen qu'il avait trouvé pour le faire taire.

50

Il était enfermé dans son bureau. Il avait besoin de réfléchir. Depuis qu'il avait suivi l'enquêtrice, il avait compris l'étendue de sa vulnérabilité. Jusqu'alors, il était en état de choc. Il devait se mettre en mode survie.

Il sentit l'angoisse monter comme un geyser. Il n'était pas psychopathe ou meurtrier. Il n'avait jamais voulu tuer personne. S'il le pouvait, il retournerait en arrière. Mais il était coincé comme un rat. Et maintenant que le père Samuel n'était plus... il n'avait personne vers qui se tourner.

Il inspira profondément. Il ne fallait pas qu'il cède à la panique. Il avait fait ce qu'il devait pour survivre. Maintenant, il devait trouver le moyen de continuer à vivre. Il n'y avait rien de bien compliqué là-dedans. Il fallait qu'il repousse les « désagréments » au fond de son subconscient. Les oublier. Plusieurs personnes gardaient des secrets enfermés à double tour dans les catacombes de leur inconscient. Il était capable de faire pareil. Calmé, il songea à sa visite au frère Samuel le fameux soir...

Il ne l'avait pas vu depuis un moment. Il avait cherché à lui donner rendez-vous, mais le frère Samuel n'avait pas répondu à ses appels répétés. Celui-ci l'avait pourtant averti la dernière fois de se trouver un nouveau confesseur, qu'il n'était plus habilité à recevoir sa confession depuis qu'il avait défroqué, qu'ils ne pouvaient pas continuer comme ça... Il en avait été blessé. Il n'était pas que son confesseur, il était son ami.

Ce soir-là, il s'était rendu à l'appartement de la rue Sainte-Catherine, où il savait qu'il logeait depuis qu'il avait quitté la congrégation. Il avait besoin de lui. Il ne pouvait refuser de le voir. La porte donnant sur la rue étant déverrouillée, il avait pu monter l'escalier intérieur qui menait chez le frère. Devant le refus de Samuel de lui ouvrir, il avait chuchoté sa confession à travers la porte de bois. Comme par enchantement, elle s'était ouverte, puis il était entré dans l'appartement.

Il avait eu un choc en voyant l'état du logis. Il avait offert de l'argent à Samuel. Mais celui-ci ne disait rien. Il le fixait, le regard hagard. Il avait pensé que l'homme était gêné de sa condition et qu'il valait mieux ne plus en parler.

Il était excité de revoir son ami. Il était son pilier. Son phare dans la tempête. Il était heureux de retrouver son guide. Sans lui, il se savait perdu. Son excitation le fit babiller sans arrêt. Il lui narra dans les plus petits détails sa vie des dernières semaines, si bien que Samuel n'eut pas le loisir de glisser un mot. Quand il s'arrêta, ce fut pour constater que le pauvre fixait le sol de ses yeux caverneux, une expression indéfinissable sur le visage. C'était la dernière fois qu'il l'avait vu. Il regrettait ce qui était arrivé au père Samuel. L'homme ne lui avait toujours voulu que du bien. Il ne méritait pas son sort...

Il chassa les souvenirs de cette soirée et ses pensées dérivèrent sur le duo d'enquêteurs qui s'occupait du dossier : les sergents Paradis et Gyatso. Étrange tandem que ces deux-là. Le premier ne l'intéressait pas. Il avait été rude avec lui. L'avait bousculé comme une espèce négligeable. Mais la femme avait de l'empathie. Ça se voyait. Et le calme qui se dégageait d'elle donnait envie de se confier. Elle devait sûrement déstabiliser plusieurs suspects avec ses manières avenantes et la qualité de son écoute. Il se répéta qu'il faudrait qu'il fasse attention s'il avait à la croiser au cours de l'enquête. Il fut étonné de constater que la pensée de la revoir lui procurait un certain plaisir. Il s'interrogea sur les motifs de ce plaisir. Cette femme était dangereuse pour lui. Et il n'était généralement pas attiré par le danger…

Il se mit quand même à rêvasser. La sergente l'invitait chez elle. Il était charmé par son raffinement et la délicatesse de ses gestes. Elle se baignait dans ses yeux, accueillait ses confidences avec compassion…

Il se figea. Cette femme pourrait-elle avoir la force de le guider ? De le garder dans le droit chemin comme l'avait fait le frère Samuel pendant toutes ces années ?

51

Desautels, Gyatso et Paradis étaient attablés devant l'assiette québécoise de la « caf », autrement dit : des cretons, du bacon, des patates rôties, des œufs et du pain de campagne grillé. Rinzen offrit les cretons et le bacon à ses collègues, qui ne se firent pas prier.

— Qu'est-ce que vous faites pour le réveillon, lieutenant ?

Rinzen avait posé la question. Desautels prit le temps d'avaler sa bouchée avant de répondre.

— Le 24, on reste toujours à la maison. Le lendemain, on va dans la famille de ma femme.

Rinzen se dit qu'il n'avait pas l'air d'être très heureux de la chose.

— Est-ce que vous fêtez Noël chez les Gyatso ?

Rinzen rit.

— Pas la fête religieuse. Mais on se met quand même dans l'esprit des fêtes. On célèbre l'idée de partage. Et parce que Sashi est fou des sapins de Noël, on lui en fabrique un petit qu'on décore avec des drapeaux et des moulins à prières.

Desautels essaya d'imaginer la chose, mais en fut incapable.

— Toi, Luc ?

La question de Rinzen le surprit et il rougit.

— T'as un rendez-vous ! dit Rinzen, excitée. Quelqu'un qu'on connaît ?

— T'es dans le champ, Gyatso…

— Si on parlait de notre affaire… dit Desautels, qui n'avait pas envie de connaître les déboires amoureux de son sergent.

Rinzen se rangea mais conserva son petit sourire taquin qui en disait long. Luc la foudroya du regard.

— Bon, les enfants, quand vous aurez fini de jouer…

Les enquêteurs reportèrent leur attention sur le lieutenant.

— Où est-ce qu'on en est ? demanda Desautels.

Rinzen prit le temps de rassembler ses idées et se lança dans un résumé concis de l'affaire.

— Il y a environ un mois, quelqu'un a planté un stylo Montblanc dans le cou d'Emmanuel Petit et l'a jeté à l'eau, croyant possiblement ne voir le corps réapparaître qu'après la fonte des neiges. Mais avec le temps chaud inhabituel…

— Une minute, l'interrompit Desautels. Le tronc était dénudé… est-ce que ça veut dire que le meurtrier avait retiré les vêtements de la victime ?

— J'crois pas, dit Luc. Le charriage par les courants marins et le travail des hélices, qui l'ont pratiquement dépecé, ont pu le dévêtir complètement.

Desautels hocha la tête. Rinzen continua son compte rendu.

— L'arme du crime, le stylo Montblanc, a été retrouvée chez une autre victime, Samuel Clément, un frère défroqué de la congrégation des Frères de Saint-François. Quand on l'a découvert, sa mort remontait à un peu plus d'une semaine. L'homme avait été suspendu à une poutre, les bras en croix, et on l'avait laissé mourir de faim.

À l'invitation de Rinzen, qui voulait manger un peu, Luc prit la relève.

— Moufid Benjelloun, un jeune garçon qui livrait les commandes d'épicerie chez le vieillard, a croisé quelqu'un dans l'escalier menant à l'appartement le jour où il a vu le frère avec le stylo Montblanc dans les mains. Chronologiquement, il est possible que ce soit le jour du meurtre de Petit. On pense que le jeune a peut-être vu l'assassin de Petit et de Clément.

Luc s'arrêta pour prendre une bouchée. Desautels réfléchissait.

— Si le meurtre d'Emmanuel Petit a effectivement eu lieu il y a un peu plus d'un mois, il y aurait donc environ quatre semaines d'intervalle entre le premier et le second crime.

Rinzen fronça les sourcils. Desautels parlait d'intervalle. Croyait-il qu'ils avaient affaire à un tueur en série ?

— Vous pensez que c'est sériel ?

Le lieutenant eut une moue dubitative. Il ne savait plus quoi penser en général.

— Est-ce qu'on croit encore à une victime de pédophilie qui se serait vengée ? demanda-t-il.

Luc haussa les épaules.

— Rien n'indique que Petit ou Samuel aient été pédophiles. Mais rien n'indique le contraire.

— Les *modus operandi* des crimes sont trop… éclatés, commença Rinzen. Sans logique. Poignardé avec un stylo, crucifié et mort de faim… Même l'idée d'un tueur en série est absurde. Il y a quelque chose qui nous échappe. Il faut trouver le lien entre les deux hommes. C'est là qu'on va découvrir nos réponses.

Desautels soupira.

— Et on en est où dans ce dossier ?

Rinzen et Luc échangèrent un regard entendu.

— J'vois. On a rien.

— Clément était peut-être le confesseur de Petit, dit Rinzen, mais aucun moyen de le confirmer. Même à ça, j'sais pas où ça nous mènerait de le savoir… Parce qu'on aura jamais accès au contenu de la confession qui aurait obligé le tueur à éliminer Petit et par la suite fait tuer Clément qui l'a reçu en confession… C'est juste un cul-de-sac.

— Si j'comprends bien, dit Desautels, il va falloir un miracle pour résoudre les deux affaires.

Rinzen et Luc se turent. Le lieutenant avait très bien résumé le dossier.

52

Après les tempêtes de la mi-décembre et le froid glacial des derniers jours, la nature avait décidé de donner un peu de répit aux citoyens de Montréal. Le thermomètre avait grimpé de dix degrés en une nuit. Il faisait maintenant cinq degrés Celsius… et une pluie torrentielle s'abattait sur la ville.

Transi, les pieds dans la gadoue, le frère Théodore attendait patiemment à la sortie de l'église que le cercueil fasse une ultime apparition avant d'être engouffré dans le corbillard qui le mènerait au crématorium, où le corps de Samuel Clément serait incinéré. Le voile de tristesse qui avait entouré le départ involontaire de l'homme s'était épaissi au fil des jours. Le manque d'argent pour lui acheter une sépulture convenable, l'absence de famille et d'amis, la fragilité des frères qui l'avaient accompagné à son dernier repos… Le religieux eut envie pour la première fois de sa vie de cesser d'exister. La charge était devenue trop lourde pour ses frêles épaules. Il appartenait à un autre temps et celui-ci était révolu. Cette réflexion le consterna. Avait-il perdu la foi en cours de route ?

Le cercueil arriva sur les marches, suivi des membres restants de la congrégation. La messe avait été courte et sans émotion. Le curé de la paroisse avait accepté de la célébrer, même si les frères n'avaient pas les moyens de payer, parce que le mort avait été un des leurs. Son empathie s'était arrêtée là. Les porteurs déposèrent le cercueil dans le corbillard et avant qu'ils ferment la porte sur la vie de Samuel Clément, le frère Théodore avait voulu lui rendre un dernier hommage. Il s'adressa aux frères présents.

— Samuel Clément, malgré son apparente errance des dernières années, avait une foi inébranlable. Il était bon et sa vie, qui a misérablement fini, a illuminé celles d'une multitude de gens. La mienne en premier. Il va me manquer. Repose en paix, Samuel, et veille sur nous.

La portière se referma sur le cercueil, puis le cortège, composé du seul corbillard, s'ébranla et disparut de sa vue.

Les frères se dispersèrent, chacun retournant vaquer à ses occupations. Le frère Théodore héla un taxi et donna l'adresse de l'appartement de Clément sur Sainte-Catherine Est. Il avait eu la permission de la police de vider l'endroit des affaires de la victime. Le lieu avait été aéré. L'odeur de décomposition persistait, mais en filigrane. Théodore eut la gorge serrée en voyant l'état dans lequel était le logis. Samuel avait vécu ses dernières semaines dans la misère la plus totale. Il déambula sans but dans le deux-pièces, ne sachant ce qu'il valait la peine de conserver. Les quelques vêtements qui traînaient étaient sales et usés à la corde. Les draps, serviettes… troués. Il trouva un très vieux livre de prières au fond d'un tiroir. Il lut l'inscription à l'intérieur. « Pour toi, mon fils. Le livre qui a accompagné ma jeunesse. Qu'il t'accompagne tout au long de ta vie. Papa. » Il se rappela que le père de Samuel avait fait son séminaire, mais à la veille de prononcer ses vœux, il avait décidé de retourner à la vie laïque. Le célibat, ce n'était pas pour lui. Le frère Théodore emporta le livre. Il garda également le col romain que Samuel conservait précieusement dans du papier de soie. Une découverte étrange dans un endroit aussi glauque. Avant de quitter l'appartement, il remarqua le crucifix au mur. C'était un vieux crucifix de bois. Théodore décida de le décrocher et le rapporter à la congrégation. Il sourit en voyant le compartiment derrière, où l'on pouvait ranger de l'eau bénite. Il poussa la languette de bois vers le bas pour vérifier si la fiole existait toujours. À la place, il découvrit une clé.

53

Desautels, Gyatso et Paradis s'étaient rendus au crématorium où l'on rendait un dernier hommage à Emmanuel Petit, psychiatre de renom et mari d'Ève Sainclair. Il y avait cinq cents personnes au bas mot. Avec l'équipe d'enquêteurs, six agents habillés en civils circulaient parmi la foule à la recherche d'un homme au paletot gris à capuche mesurant approximativement un mètre soixante-dix. Ils espéraient que celui qui avait tué Emmanuel Petit puis Samuel Clément se trouvait parmi les invités présents. C'était leur unique chance de le démasquer. Ils en étaient convaincus.

Rinzen abandonna ses recherches pendant un moment pour s'approcher de la veuve. Elle la rejoignit près du cercueil, où elle était en compagnie de son secrétaire et d'un couple qu'elle devina de la famille.

— Mes condoléances…

— Merci, dit Ève Sainclair.

Elle indiqua l'homme près d'elle.

— Je vous présente Adam, le frère d'Emmanuel, et son épouse.

— Mes condoléances…

Puis elle témoigna également sa sympathie au secrétaire.

— Merci. Vous êtes seule ? Le sergent Paradis ne vous accompagne pas ?

— Il est quelque part dans l'assistance.

Rinzen ne put s'empêcher d'esquisser un sourire en voyant la satisfaction apparaître sur le visage du secrétaire. Puis elle se fondit dans la foule non sans jeter un dernier regard en direction du frère et de la belle-sœur d'Emmanuel Petit. Ils détonnaient. Il était évident qu'ils ne vivaient pas la même vie que le défunt et son entourage. La place était remplie de vêtements griffés. Tailleurs élégants, paletots de cachemire, fourrures exotiques… Le couple était vêtu simplement. Rien d'ostentatoire dans leur habillement. De la bonne qualité, sans plus. L'homme remarqua qu'elle les observait. Honteuse de le déranger dans son deuil, elle baissa la tête et continua son chemin jusqu'à Paradis.

— Thomas Flynn s'impatiente…

La réaction de gêne de Luc n'échappa pas à Rinzen. Elle comprit aussitôt qu'il s'était passé quelque chose entre les deux. Amusée, elle demanda :

— As-tu quelque chose à me raconter ?

— Rien qui pourrait t'intéresser.

Elle le fixa, mais il ne semblait pas vouloir cracher le morceau.

— Très bien. C'est comme tu le souhaites. Mais j'haïrais pas ça vivre un peu par procuration…

Elle réussit à dérider Luc.

— J'ai aucun doute là-dessus. Mais ce sera pas aujourd'hui.

Et pour changer le sujet, il demanda :

— As-tu vu un paletot intéressant ?

Rinzen soupira et jeta un regard circulaire autour d'elle.

— On aura essayé…

Le lieutenant choisit ce moment pour s'approcher d'eux.

— J'vois que vous avez pas eu plus de chance que les agents.

— Ç'a l'air que les miracles sont pas de notre bord, dit Luc.

Desautels observa une dernière fois la foule présente, puis donna ses ordres.

— Demandez aux agents de plier bagage. On paie des heures supplémentaires pour rien.

Luc et Rinzen acquiescèrent, puis le lieutenant quitta le crématorium.

Les enquêteurs avaient fini de rassembler les agents quand Thomas Flynn s'approcha du sergent Paradis. Rinzen fit alors signe aux hommes de la suivre à l'extérieur, laissant Luc seul avec Thomas. À son grand dam.

— T'allais partir sans même m'offrir tes sympathies ?

Luc piétinait.

— J'suis en fonction. C'est pas le moment.

— J'te demande de la politesse élémentaire. Pas un roman d'amour.

Luc regardait autour de lui, de peur que quelqu'un les entende.

— Tes collègues ont tous quitté les lieux. T'as pas à t'inquiéter. La société présente est plutôt permissive.

— Arrête de m'appeler et d'essayer de me revoir. J'peux pas te donner ce que tu désires.

Thomas n'avait pas l'air ébranlé par sa déclaration. Il planta ses yeux dans les siens.

— Dis ce que tu voudras. L'autre soir au Jab-Jab, c'était plus que du sexe. Je l'sais. Tu l'sais. Moi j'suis prêt à voir où ça peut nous mener. Quand t'auras fini de te mentir, appelle-moi.

Puis, il retourna auprès d'Ève Sainclair.

— Alors, les amours ? lui chuchota Rinzen, qui était rentrée.

— Crisse-moi la paix, répondit Luc en s'éloignant vers la sortie.

Rinzen jeta un regard en direction de Thomas Flynn. Celui-ci la fixa sans broncher.

54

En pénétrant dans la voiture, Rinzen reçut un appel du central l'informant qu'ils avaient un message d'un certain frère Théodore.

— Qu'est-ce qu'il veut? demanda Luc, qui s'était calmé.

— Il veut nous voir. C'est tout ce qu'il a dit au préposé.

— Allons-y! C'est mieux que de tourner en rond.

Rinzen acquiesça.

— Es-tu correct?

— J'vais être correct si tu m'achales plus avec le secrétaire.

L'emploi du titre de Thomas Flynn fit comprendre à Rinzen que Luc avait clos le dossier.

— Promis, dit-elle.

Le trajet se fit en silence jusqu'à l'édifice de la congrégation. Arrivés sur les lieux, ils furent accueillis par le frère Théodore, qui les invita à passer à l'intérieur et, comme les autres fois, ils prirent place côte à côte dans le divan du salon. Le religieux s'absenta quelques secondes et revint avec un crucifix, qu'il tendit à Luc. Celui-ci s'en empara même s'il ne comprenait pas ce que l'homme désirait.

— Regardez derrière...

Luc le tourna et remarqua qu'il y avait un compartiment. Il tira sur la languette de bois et vit une clé apparaître.

— Une clé ? dit Rinzen.

Luc la sortit du compartiment.

— C'est un très vieux crucifix. Autrefois, on y rangeait une fiole avec de l'eau bénite.

Luc et Rinzen ne comprenaient toujours pas.

— Le crucifix appartenait à Samuel. Je l'ai rapporté ici lorsque j'ai vidé son appartement. Quand j'ai découvert la clé, j'ai pensé que ça pourrait peut-être vous intéresser.

Rinzen se tourna vers Luc.

— Samuel Clément regardait vers le sud... en direction du crucifix. Il voulait qu'on le remarque. Comme le stylo par terre...

Luc hocha la tête et examina la clé de près. Il sortit son trousseau et compara une de ses clés à celle du crucifix. Elles étaient semblables.

— C'est une clé de coffret de sûreté, dit Paradis.

— Oh ! s'exclama tout à coup le frère. Samuel m'en a déjà parlé, du coffre. Je ne m'en souvenais plus parce que ça fait très longtemps. Il l'a pris à la mort de son père. Il m'avait dit qu'il avait des souvenirs dont il n'arrivait pas à se détacher. Il m'avait demandé si c'était correct.

— Correct ? demanda Luc.

— Samuel craignait que ça prouve qu'il était trop attaché aux choses terrestres.

Luc marmonna sa désapprobation. Rinzen crut bon d'enchaîner.

— Reste à trouver à quelle banque ou caisse Samuel Clément appartenait... et obtenir les permissions nécessaires pour faire ouvrir le coffre.

— J'ai l'autorisation nécessaire, dit le frère. J'suis son exécuteur testamentaire.

Rinzen et Luc passèrent l'heure suivante à faire le tour des succursales des banques et caisses populaires situées près de l'appartement de Samuel Clément. Après quelques explications, ils obtinrent la confirmation de la caisse populaire du quartier que Samuel Clément était un de leurs clients et qu'il avait bel et bien loué un coffret. La Caisse demanda à voir les documents légaux stipulant que le frère Théodore était bien l'exécuteur. Le testament fut fourni à l'établissement, qui les avertit que ça prendrait quelques jours avant que le document soit authentifié et que le frère Théodore puisse passer pour ouvrir le coffre. Il ne leur restait plus qu'à attendre.

55

Rinzen poussa la porte de la succursale. Après avoir écouté le but de leur visite, la réceptionniste fit patienter le trio, le temps d'aller chercher la directrice. Une femme à l'air amène vint les rejoindre quelques minutes plus tard. Elle exigea une preuve d'identité du frère Théodore, qui obtempéra aussitôt.

— Très bien. Suivez-moi !

Elle les accompagna jusque dans la salle des coffres, leur indiqua où ils pouvaient s'installer pour examiner le contenu de la boîte et s'en fut. Luc introduisit la clé dans la serrure. Une fois le coffre ouvert, il en extirpa la longue boîte de métal renfermant les effets de Clément et ils se retirèrent dans une des alcôves prévues pour assurer l'intimité des clients.

— Ça manque de roulement de tambour, dit Luc en déposant la boîte sur la table.

Rinzen l'ignora, enfila une paire de gants de latex et commença son examen. Une bande de feutrine recouvrait le contenu, une indication que Samuel Clément considérait ses biens comme étant précieux. Rinzen souleva délicatement le tissu. Une photo de femme apparut. Rinzen la retourna et lut l'inscription à l'arrière.

— Marthe Clément, 1952. Probablement un cliché de sa mère…

Le frère Théodore acquiesça. Rinzen poursuivit son travail. Sous la photo, il y avait un document légal. Elle le déplia et constata qu'il s'agissait d'un testament. Celui du père de Samuel Clément. Elle le lut en diagonale.

— Le testament indique une cordonnerie que Samuel aurait reçue en héritage de son père. Vous étiez au courant?

— Ah ça, dit Théodore. Le père de Clément habitait dans un village. Après avoir quitté le séminaire, il avait pris la relève de son propre père, qui était le cordonnier de la place. Samuel disait que son père fabriquait de très jolis souliers pour les enfants.

— Qu'est-ce que Clément a fait de la cordonnerie? demanda Luc.

Le frère haussa les épaules.

— C'était rien. Un local minuscule avec quelques outils et du matériel pour faire les réparations. Il a dû le vendre…

Rinzen regarda Luc.

— Va falloir vérifier ce qu'il est advenu de l'endroit.

Luc hocha la tête. Rinzen continua son exploration du contenu du coffre. Elle en sortit un chapelet, qu'elle montra au frère. Ce dernier eut l'air chagriné.

— C'était son chapelet.

Il leur montra le sien. Ils étaient identiques.

— On en a tous un dans la congrégation.

Sous le chapelet, il y avait un paquet enveloppé d'un bout de tissu blanc, visiblement déchiré d'une plus grande pièce.

— Ça explique l'état des draps dans l'appartement, dit Luc.

Rinzen acquiesça, puis souleva l'objet et le déballa. C'était un cahier à couverture rigide. Elle l'ouvrit à la première page. Samuel Clément y avait inscrit son nom, l'année de sa naissance et celle de sa mort. Rinzen regarda Luc.

— Clément savait qu'il allait mourir.

Luc eut un geste d'irritation.

— Mais qu'est-ce qui s'est passé ?

La consternation se lisait sur les visages du trio, mais il était évident que cette enquête jouait particulièrement sur les nerfs de son coéquipier. Rinzen le sentait plus fragile. Elle serra affectueusement son avant-bras, puis ouvrit le journal à la page suivante, où elle lut le contenu à voix haute…

Je consignerai tout dans ce cahier. Si Dieu existe, il me pardonnera. Car s'il est le Créateur de l'Univers, il a aussi créé les monstres.

Elle s'arrêta. Le père Théodore avait les yeux exorbités et Luc, les poings serrés.

— Le mieux serait que je l'apporte à la maison et que je le lise ce soir, dit Rinzen.

Luc et Théodore lui en furent reconnaissants. C'était trop pour eux.

Le sergent remit la photo, le testament et le chapelet dans le coffret, ainsi que la pièce de feutrine, et rangea la boîte métallique dans son casier. Rinzen enfila le cahier dans un sac à preuves. Après avoir salué la directrice et l'avoir remerciée pour sa collaboration, le trio quitta la caisse.

56

En revenant à la maison, Rinzen avait joué avec son fils et toute la lourdeur de la journée s'était éclipsée. Elle avait ensuite aidé sa mère à préparer le souper. Elle profitait de chaque instant qu'elle pouvait passer avec elle. Le bouddhisme lui enseignait qu'elle ne devait pas être triste, que l'essence de sa mère continuerait d'exister après sa mort, mais elle se rappelait la peine qu'elle avait eue lors du décès de son mari et elle craignait de ne pouvoir faire mieux le temps venu pour sa mère.

Le souper terminé, elle avait discuté avec son père de certains textes bouddhistes qu'il avait en sa possession, puis elle avait mis Sashi au lit. Elle avait médité un bon moment avant de se décider à ouvrir le journal du père Samuel, qu'elle avait rapporté à la maison. Ses ablutions faites, et installée dans son lit, elle entreprit de le lire…

Pourtant, au bout d'un moment, en dépit de l'innocence de nos conversations, ces rendez-vous clandestins dans le secret du confessionnal ont commencé à me remplir d'un trouble indéfinissable…

Rinzen déposa le journal sur ses genoux. Plus elle lisait, plus elle craignait ce qu'elle découvrirait. Quel était ce trouble qui avait pris possession de Samuel Clément ? À quoi rimait la relation qu'il avait développée avec ce garçon ? Luc avait-il raison ? Avaient-ils affaire à une histoire de pédophilie ?

Rinzen se leva et se rendit à la cuisine se préparer un thé « dilué ». Opame avait l'habitude de lui en servir lorsqu'elle était enfant et qu'elle ne parvenait pas à dormir. Sa mère noyait le thé de lait. Si bien que le thé n'était finalement plus que du lait chaud vaguement aromatisé de thé et de beurre salé. Rinzen prit une gorgée et déjà ses neurones se calmèrent. Elle finirait sa tasse, méditerait quelques minutes et retournerait à la lecture du journal, mais pour l'instant elle se contentait de goûter à la quiétude de cette nuit de décembre dans l'appartement de la rue Clark.

Tout en buvant, Rinzen fit le tour des chambres. Par la porte entrouverte de celle ses parents, elle les vit qui dormaient, enlacés comme au premier jour de leurs amours. Malgré les peaux ridées et les dos courbés, l'amour trouvait encore sa place. Elle avait rêvé de vieillir avec Benoît, de dormir en cuillère, leurs vieux os contents de se retrouver. Mais ce rêve était mort. Et elle doutait qu'un jour elle ait le même souhait avec un autre homme. Cette pensée la fit sourire. Opame ne verrait pas cette réflexion d'un bon œil. Elle l'exhorterait à vivre un jour à la fois, à goûter au moment présent, à s'ouvrir aux possibilités, ce qu'elle réussissait à faire dans bien d'autres domaines de sa vie, mais elle n'y arrivait pas lorsqu'il s'agissait d'une nouvelle relation. En mourant, Benoît semblait avoir emporté une part d'elle. Celle qu'elle réservait à l'homme de sa vie.

Elle pénétra ensuite dans la chambre de son fils. Sashi dormait paisiblement, le visage lisse de soucis.

Elle s'approcha du lit et déposa un baiser sur le front de son garçon. Une pensée affolante la fit reculer d'un pas. Saurait-elle reconnaître les signes si quelqu'un abusait de son fils ? Elle savait qu'un nombre incalculable d'enfants passaient à travers les mailles du filet, leurs tourments ignorés de leur entourage, devenant chaque jour de plus en plus invisibles... Elle se secoua et prit une gorgée de thé. La solution n'est pas dans les scénarios catastrophe, songea-t-elle. Elle embrassa encore une fois son fils et retourna dans sa chambre.

Rinzen abandonna l'idée de méditer en voyant le journal ouvert sur son lit. Quoi que Samuel Clément ait inscrit sur ces pages, elle devait l'affronter. Et plus vite elle le ferait, plus vite elle aurait peut-être les clés de l'énigme. Elle vida sa tasse de thé, s'adossa contre la tête du lit et s'empara du cahier. En inspirant profondément, elle continua sa lecture du journal...

Un jour, au fil d'une conversation, l'Autre est apparu. Soudain, il avait un frère. C'est alors que j'ai compris que je ne savais rien de lui…

57

Il mit la fiche dans la prise de courant et le sapin s'illumina.

— Oh ! C'est ton plus beau !

Sa femme l'applaudit et commença à fredonner *Les Anges dans nos campagnes* en continuant d'emballer les cadeaux. Son esprit de Noël le déprimait. Il voulut sortir de la pièce, mais il fut happé par un souvenir qui le figea sur place…

C'était en 2004. Il était au pied du sapin chez ses parents. Il avait quarante et un ans et l'Autre, qui en avait trente-cinq, venait de leur annoncer qu'il allait se fiancer pendant le réveillon. La nouvelle les avait surpris, car ils ne lui savaient pas de relation stable. Son frère butinait. Son père avait été le premier à interroger l'Autre sur le sérieux de sa déclaration. Était-ce vrai ? Depuis combien de temps connaissait-il cette fille ? Qui était cette inconnue ? L'Autre avait répondu calmement qu'il la fréquentait depuis huit mois et qu'ils auraient tout le loisir de la connaître pendant le réveillon. Sa mère avait enfin ouvert la bouche pour demander comment il se faisait qu'il ne l'avait pas amenée à la maison plus tôt. « J'voulais pas faire de peine à Adam… » avait-il dit en fixant son frère.

Personne n'avait été dupe. L'Autre s'en foutait que son frère, plus vieux que lui, n'ait pas de petite amie, vive encore chez ses parents et n'ait pas de projets de fiançailles. C'était parce qu'il ne voulait pas que sa flamme le rencontre. Mais maintenant, il n'avait plus le choix. Ils allaient se fiancer.

Sa mère avait préparé son repas de Noël traditionnel : dinde fourrée aux abats, pommes de terre en purée, haricots jaunes et compote maison aux canneberges. Elle servirait également un assortiment de fromages et, en guise de dessert, elle avait acheté une bûche chez le pâtissier. Son père avait participé en leur procurant le vin pour le repas, un sancerre, ainsi que quelques bouteilles de spiritueux et un excellent porto. La table était mise, le sapin allumé, et la maison, ornée de multiples chandelles de toutes les tailles, scintillait comme une nuit étoilée. Ils étaient prêts pour accueillir leur future belle-fille.

Elle avait fait son apparition sur le coup de vingt et une heures.

Son père avait été séduit en la voyant. Sa mère l'avait jalousée. Lui était resté bouche bée. La jeune femme était ravissante, élégante, raffinée. La pensée qu'il ne pourrait jamais espérer une épouse à son image l'avait désespéré.

— Maman… papa… Je vous présente Ève Sainclair.

La mâchoire de son père s'était décrochée à la mention du patronyme de l'amie de son fils. C'était une Sainclair ? Sa mère avait aussitôt eu honte de leur modeste maison de Dorval. Pourquoi son fils ne l'avait-il pas prévenue ?

— Êtes-vous la fille de Winston ?

Ève avait acquiescé.

— Tu connais son père ? s'était étonnée sa mère, frustrée d'être tenue à l'écart par les hommes de sa vie.

— Winston Sainclair est un des principaux donateurs de l'Institut Duncan. J'ai eu le plaisir de le rencontrer à quelques occasions.

Sa femme s'était demandé quelles étaient ces occasions où elle n'avait pas été invitée.

— Bienvenue dans notre demeure, avait-elle dit en s'efforçant de sourire à celle qui lui volait son fils adoré.

— Heureuse d'enfin vous connaître, avait répondu la jeune femme. J'ai dû supplier Emmanuel pour qu'il se décide à m'emmener chez vous.

Ils avaient assisté ensemble à la messe de minuit, qui était à vingt-deux heures, puis ils étaient revenus à la maison où, avant d'ouvrir les cadeaux et de passer à table, l'Autre avait fait sa demande en mariage. Ève Sainclair avait pleuré de joie, sa mère de tristesse. Lui les avait observées comme il avait jadis regardé les vitrines de Noël avec sa mère. En spectateur.

Sur le coup de minuit, ils avaient fait les échanges de cadeaux. Il se souvenait du moment précis où l'Autre avait déballé celui que leur père lui offrait. Une passation de pouvoir, avait déclaré ce dernier, pendant que l'Autre retirait l'emballage et découvrait une boîte dans laquelle se trouvait un stylo Montblanc. Celui de leur père. Celui avec lequel, depuis toujours, il prenait des notes en écoutant ses patients.

— Veux-tu bien me dire pourquoi tu restes planté là ?

Il sursauta en entendant la voix de sa femme. Il était demeuré figé dans ses souvenirs au beau milieu du salon.

— Pour rien…

Puis, il s'éloigna dans le corridor.

58

La journée de Desautels avait commencé avec les informations d'un indic selon lesquelles un certain Bob Michaud, prêteur véreux, se vantait d'avoir donné « une crisse de leçon » au dernier qui avait eu la malencontreuse idée de ne pas le rembourser à temps. D'après l'informateur, Michaud avait l'habitude de battre ses victimes avec une clé en croix. Comme Michaud était fiché, Desautels avait trouvé sa photo et, muni des clichés d'Abady et du prêteur et avec l'aide de deux agents, il avait tenté d'obtenir des renseignements aux endroits où il soupçonnait Michaud de faire ses transactions. Il avait besoin de prouver que les deux hommes se connaissaient. Ses efforts avaient été vains. En dernier recours, il avait pris la décision de se présenter chez Jeff Knowland.

Le lieutenant Desautels appartenait à cette catégorie d'individus dont les relations interpersonnelles étaient rares. Il avait toujours été un solitaire, préférant la compagnie des poissons aux humains, qui le mettaient mal à l'aise. Quelles que soient leurs orientations sexuelles ou leurs origines ethniques, il savait les humains imparfaits et craignait de découvrir, à leur insu, leurs zones d'ombre.

— C'est lui ?

Le visage de Knowland s'était durci en voyant la photo.

— On a de bonnes raisons de le croire.

Jeff Knowland avait offert au lieutenant de s'asseoir, mais lui restait planté debout comme un piquet. Il ne dit rien, ce qui augmenta le malaise déjà existant. La souffrance était omniprésente dans cet appartement qui flottait parmi les nuages.

— On a pas de preuves matérielles ou de témoins pouvant l'incriminer. Alors si vous l'avez déjà vu en présence de votre partenaire...

Desautels fit une légère pause pour que Knowland saisisse bien l'enjeu.

— On aurait au moins la preuve qu'ils se connaissaient.

Knowland ne bougeait toujours pas, mais Desautels pouvait voir qu'il était en proie à un combat intérieur douloureux. Au bout d'un moment, il se décida à parler.

— Je les ai vus ensemble.

Desautels hocha la tête. Il détailla Knowland.

— Pourquoi avoir hésité à le révéler ?

Knowland serra les mâchoires.

— Parce que j'ai honte.

Puis il tourna le dos à l'inspecteur et alla se poster devant les fenêtres panoramiques. Son regard se perdit au loin. Desautels, dont l'inconfort grandissait, ne dit rien. Il attendait la suite.

— Paul et moi, on s'est disputés le soir de sa mort...

Gerry Desautels sentit un rush d'adrénaline. Sa réserve disparut instantanément.

— Ça vous arrivait souvent ?

— Trop souvent.

— Et le sujet de vos disputes ?

— Ses nombreux partenaires, ses dettes de jeu... Toujours la même rengaine.

Knowland serra les poings. Son geste ne passa pas inaperçu du lieutenant, qui pendant un bref instant se demanda s'ils n'avaient pas plutôt affaire à un crime passionnel.

— Ce soir-là, Paul a quitté l'appartement en furie…

Knowland se tourna vers Desautels.

— Avez-vous déjà aimé une personne au point d'être incapable d'imaginer vivre sans elle ?

La question était rhétorique, Desautels le savait.

— Chaque fois que Paul sortait d'ici en claquant la porte, je mourais un peu. Je me disais : « Et s'il ne remettait jamais les pieds à l'appartement ? » Ce soir-là, incapable de souffrir les longues heures d'attentes, j'suis parti à sa recherche. Je l'ai repéré rapidement. Il était au coin de Sainte-Catherine et Peel, en compagnie de l'homme de la photo et de deux autres hommes. Je n'en revenais pas. Ça faisait pas cinq minutes qu'il était parti qu'il flirtait déjà. Notre dispute, moi… oubliés !

Desautels observait Knowland pendant qu'il parlait. Il avait de la difficulté à comprendre le couple qu'il avait formé avec Abady. Et cela n'avait rien à voir avec leurs habitudes sexuelles, mais plutôt avec leur relation affective. Leur couple n'était certainement pas à l'image du sien. Mais la souffrance de Knowland était égale à celle qu'il ressentirait si sa femme était victime d'un crime violent.

— D'où j'étais, je pouvais voir les trois hommes commencer à former un demi-cercle autour de lui. Paul minaudait, se laissait grappiller… Je ne l'avais jamais vu s'abaisser de cette façon. La scène m'a écœuré et j'suis retourné à la maison.

Il fit une pause qui s'éternisa. Puis il éclata.

— Comprenez-vous ? Paul essayait peut-être de se sortir de sa mauvaise situation en faisant du charme ! Si j'étais intervenu, il serait peut-être pas…

Il fut incapable de prononcer le mot. Desautels laissa le silence se prolonger avant de demander :

— Je vais avoir besoin d'une déclaration écrite. Le plus rapidement possible…

Jeff Knowland acquiesça machinalement, emmuré dans un monde de douleur. Desautels s'excusa et l'abandonna à son sort.

Dans sa voiture, attendant que le pare-brise déglace pour démarrer, le lieutenant fit le point sur sa journée. Il avait deux preuves incriminantes en sa possession : Michaud connaissait Paul Abady et ils avaient été vus ensemble le soir du crime à un coin de rue de l'endroit où la victime avait été battue à mort. Bob Michaud ne s'en tirerait pas.

Malgré ce bilan positif, Desautels ne ressentit aucune satisfaction. Rien de ce qu'il avait appris ne redonnerait la vie à Paul Abady. Et Jeff Knowland devait maintenant vivre avec, sur la conscience, l'idée qu'il aurait peut-être pu sauver son partenaire…

Il avait huit ou neuf ans. Il se confessait de péchés enfantins quand il a glissé dans la foulée qu'il lui arrivait de vouloir tuer l'Autre. Je croyais avoir mal compris. Je lui ai fait répéter. Il m'a alors révélé qu'il avait un jeune frère. « L'Autre »... Celui qui n'était pas lui. C'était le surnom qu'il lui avait donné quand il l'avait vu la première fois. Il m'a expliqué qu'il l'aimait, mais que l'Autre le rendait invisible. Et lorsqu'il le rendait invisible, il imaginait des moyens de le faire disparaître à son tour...

59

Luc avait les poings en sang. Saint-Onge n'aurait pas été fier de lui. Taper sur un sac de frappe à mains nues… Mais il ne regrettait rien. Sa douleur aux jointures anesthésiait l'autre, plus profonde. Du moins, pour le moment. Car déjà le hamster dans son cerveau avait recommencé à faire tourner la roue.

Il avait erré à sa sortie de la caisse populaire, après qu'ils eurent trouvé le journal de Samuel Clément. Le passage que Rinzen avait lu lui avait fait craindre le pire. Il se rendait compte à quel point il ne parvenait plus à détacher sa propre expérience d'agression de celle des victimes qu'il avait à côtoyer. Il perdait le contrôle de ses émotions et cela l'effrayait. Le thérapeute qu'il avait consulté pendant un certain temps l'avait prévenu. «Tout ce que vous cherchez à enterrer remontera avec le temps. Pensez-y…» Il n'avait pas voulu le croire. Il voulait entamer sa nouvelle vie à toute vitesse et enterrer le passé.

Luc avait d'abord fait le tour des bars qu'il avait l'habitude de fréquenter dans le quartier gai, où il avait réussi à ingurgiter une somme respectable d'alcool en peu de temps. Ce qui l'avait calmé pour quelques heures.

Puis, l'effet se dissipant, il avait eu recours à l'application Grindr pour se soulager autrement. Étrangement, aucun des gars dans les parages n'était parvenu à l'intéresser. Maintenant qu'il était seul dans la pénombre du studio, il se demandait si, tout ce temps, il n'avait pas cherché à revoir Thomas Flynn.

La nuit qu'il avait passée avec Thomas dans le studio l'avait changé. Il n'était pas près de l'admettre publiquement, mais cela n'en demeurait pas moins. Il avait voulu faire taire ce garçon qui le déstabilisait en le prenant sauvagement comme il avait l'habitude de le faire dans ses rencontres anonymes, mais il s'était fait avoir. Car il l'avait embrassé d'abord. Il avait voulu fermer cette bouche qui sondait son intimité et il avait fini par la révéler. La bouche de Thomas était faite de miel et il avait eu envie de la savourer. La rudesse avait cédé la place à la tendresse et, sans résister, Luc avait laissé Thomas guider ses caresses. Il n'y avait eu de violence que celle de leur désir exacerbé par la sensualité amoureuse de leurs ébats. Et une chose incroyable s'était produite. Luc avait lâché prise. Au petit matin, cependant, il s'était retranché dans le silence, laissant un Thomas perplexe quitter les lieux.

Luc envoya valser la serviette avec laquelle il avait commencé à éponger ses jointures sanglantes et endolories. Il savait que la seule personne capable cette nuit de lui faire tout oublier, c'était Thomas Flynn. Mais il ne pourrait jamais lui faire face. Pas après ce qui s'était passé cette nuit-là…

Il avait dix-neuf ans. La veille, sa mère avait organisé une fête pour le treizième anniversaire de son frère. Il m'a raconté le déroulement de la fête dans ses moindres détails. Comment l'Autre avait brillé. Comment les invités étaient suspendus à chacune des paroles de son frère. Il avait de l'admiration dans la voix, ce qui m'a aveuglé sur le coup. Je crois que je voulais croire que, malgré ses délires des dix dernières années, ses démons l'avaient abandonné. Qu'il ne voulait plus de mal à son frère…

Il m'a raconté qu'une fois les invités partis, au souper qui avait suivi, sa mère avait hurlé à table. Sans raison apparente. Mais lui savait pourquoi. Il était la goutte qui faisait déborder le vase. Sa mère le haïssait parce qu'il n'était pas l'Autre.

60

Rinzen relut le dernier passage…

> *Il m'avoua que, cette nuit-là, il avait tenu un oreiller au-dessus de la tête de son frère et que, s'il s'était réveillé, il l'aurait étouffé…*

Qu'est-ce qui possède un garçon au point qu'il veuille faire disparaître son frère ? Fallait-il qu'il soit atteint mentalement ? Schizophrène, narcissique, psychopathe ? Pourtant, l'enfant du journal semblait avoir le sens du bien et du mal. Pouvait-on, dès la naissance, avoir l'ego fracturé au point de jalouser son frère et de fantasmer de le tuer ? Des bribes de son éducation dans les écoles catholiques remontèrent à la surface. Caïn et Abel… Le fratricide originel. Caïn avait-il imaginé la mort de son frère à répétition avant de commettre l'acte irréparable ? L'enfant du journal avait-il grandi pour devenir un homme voué à tuer son frère ?

Rinzen posa le journal près d'elle et descendit du lit. Machinalement, elle se dirigea vers la statue du bouddha rieur sur la tablette dans le coin de sa chambre. Il y avait une telle noirceur dans l'idée qu'un enfant ait des pensées meurtrières. Le cœur d'un enfant, par définition, était synonyme de lumière. Elle n'avait qu'à songer à son petit Sashi… Par superstition plus qu'autre chose, elle caressa le ventre du bouddha. Un porte-bonheur. Une protection contre le malheur.

Rinzen fixa le journal resté ouvert sur le lit. Deux frères. L'un qui n'était pas l'Autre. Le Montblanc trouvé dans l'appartement de Samuel Clément appartenait à Emmanuel Petit. Ce dernier avait un frère, Adam Petit. En apparence, le jour et la nuit. L'un qui n'était pas l'Autre… Auprès de qui Adam avait-il trouvé du réconfort dans sa jeunesse ? Ses parents ? Son confesseur ?

Les morceaux du casse-tête commençaient à prendre forme.

Rinzen retourna sur le lit et reprit le cahier. Quelque part entre les lignes de son journal, Samuel Clément leur avait donné la clé pour résoudre l'énigme de sa mort… et peut-être celle d'Emmanuel Petit.

Après ma retraite, il avait trouvé l'adresse de la congrégation et me donnait rendez-vous dans la pénombre de différentes églises de Montréal. Jamais la même. Comme s'il ne voulait pas que je sache où il habitait. Au cas où… Je ne pouvais refuser. Je me sentais responsable de ce qu'il était devenu. Un homme perdu…

61

Desautels, Gyatso et Paradis s'étaient donné rendez-vous à la « caf ». Attablés devant des cafés fumants, le lieutenant et Luc écoutaient attentivement les explications de Rinzen voulant que l'enfant décrit dans le journal puisse être Adam Petit.

— Attends un peu… dit Desautels, est-ce qu'il le nomme ?

— Non… mais la logique… C'est le lien qui nous manquait.

Desautels ne la suivait pas.

— On cherchait le lien entre Samuel Clément et Emmanuel Petit. Si on suppose qu'Adam est l'enfant du journal, tout s'éclaire. Le lien entre Emmanuel et Samuel, c'est Adam.

Luc hocha la tête et dit :

— Adam aurait pu prendre ombrage de la personnalité éclatante de son frère. Comme le garçon du journal, il devait se sentir disparaître en sa présence…

Luc s'arrêta soudain au souvenir de la conversation qu'il avait eue avec Thomas Flynn au sujet d'Emmanuel Petit.

— Quoi ? demanda Rinzen.

— Flynn m'a avoué qu'il fallait se contenter de vivoter en présence d'Emmanuel Petit.

Rinzen regarda Desautels.

— On peut pas nier que les deux situations se ressemblent étrangement.

Le lieutenant acquiesça sans commenter.

— On peut pas nier non plus que si Adam est l'enfant du journal et que Samuel Clément était son confesseur… il peut très bien, après des années à lutter contre sa pulsion, s'être finalement confessé d'avoir tué son frère.

— Provoquant la folie de Clément, ajouta Luc.

Rinzen feuilleta le journal à la recherche d'un extrait en particulier. Quand elle le trouva, elle en fit la lecture.

Son obsession pour son frère n'a jamais cessé au fil des ans. Ses confessions se sont espacées, mais toujours il revenait me hanter avec les tourments qui l'habitaient. Je le subissais… comme un mal inguérissable, une maladie dégénérative. J'étais à la fois fasciné et horrifié. Il n'était pas passé aux actes, mais je ne doutais pas une seconde qu'il le ferait un jour. Et chaque jour qui passait, mon incapacité à changer le cours des choses grugeait mon âme…

Le lieutenant se massa l'estomac et fouilla dans une des poches de son veston. Il en ressortit deux comprimés amochés, qu'il croqua.

— Tu dis que l'enfant confessait ses envies de meurtre au frère Samuel depuis l'âge de huit, neuf ans ? continua enfin Desautels.

Rinzen hocha la tête.

— L'enfant a hanté Clément toute sa vie. Pris dans le secret de la confession, l'homme a vécu un véritable enfer. Même après sa retraite… Clément se sentait responsable. C'était comme s'il avait façonné l'homme que l'enfant était devenu. « Un homme perdu », comme il le décrit dans son journal.

Le silence s'installa à la table.

Le lieutenant réfléchissait aux conséquences des gestes que le respect des règles imposait. Aurait-il suivi les consignes de l'Église, comme l'avait fait Clément ? Cet enfant avait manifestement besoin d'aide. Aurait-il brisé le sceau du secret de la confession ? Il était catholique et on lui avait appris l'importance de cette promesse. L'anonymat et le secret permettaient à tous d'obtenir l'absolution si on le désirait. On pouvait se confesser des pires crimes avec Dieu pour seul juge.

Rinzen, de son côté, essayait d'imaginer l'horreur et la fascination que les confessions de l'enfant avaient générées chez le frère Clément. L'horreur pour une raison évidente, mais la fascination parce que c'était complètement surréel d'être le témoin de la naissance d'un meurtrier. Un processus que le bouddhisme attribuait pourtant naturellement au karma.

Quant à Luc… Il se questionnait sur le rôle que les adultes avaient joué dans la naissance d'un tueur. Ses parents, professeurs, voisins… Avaient-ils tous été aveuglés ? La société refusait-elle toujours de voir ce qui se passait dans sa cour ? Ou l'enfant était-il perdu d'avance ? Sans possibilité de rédemption ?

Desautels remua sur la banquette.

— Vingt-quatre décembre… réfléchit-il tout haut. On arrivera pas à grand-chose aujourd'hui.

— J'pensais qu'on pourrait retourner interroger la veuve Sainclair au sujet de son beau-frère, dit Rinzen.

— Il avait pas d'alibi ? demanda Desautels.

Luc prit la parole.

— Sa femme a dit qu'il travaillait dans son bureau à la maison. Les agents qui l'ont interrogée avaient aucune raison à l'époque de douter de son affirmation. Maintenant... La femme pourrait avoir menti.

Desautels réfléchissait. Puis, à leur surprise, les enquêteurs le virent sourire et dire :

— « Quand vous avez éliminé l'impossible, ce qui reste, même improbable, doit être la vérité... » C'est une réplique de Sherlock Holmes. Ma femme, qui me harcèle depuis des années avec ses romans policiers, me l'a citée un jour et ça m'est resté en mémoire.

Luc et Rinzen se regardèrent. Le lieutenant, depuis un moment, ne se comportait pas comme d'habitude.

— D'accord ! dit Desautels. On se concentre sur Adam Petit. Ça va nous prendre un aperçu complet de sa relation avec son frère. Une nouvelle visite chez la veuve Sainclair s'impose.

Rinzen remarqua que Luc avait froncé les sourcils. Il était évident qu'il ne désirait pas croiser le secrétaire.

— Comme c'est la veille de Noël... vous pouvez vous limiter à la veuve. Mais si c'est possible et que ça vous mène pas trop tard... vous pourriez aussi sonder le couple Petit. Mettre un peu de pression. Voir comment ils vont réagir.

Rinzen acquiesça pour les deux.

— On refera le point demain en après-midi. Ça vous va ?

Rinzen sourit en coin. Le lieutenant avait trouvé le moyen de ne pas aller dans la famille de sa femme le 25.

62

Thomas Flynn les conduisit au salon où Ève Sainclair les attendait. Rinzen constata que Luc faisait tout pour ne pas croiser le regard du secrétaire. De toute évidence, ces deux-là nageaient en eaux troubles.

— Ah! Vous êtes là... fit la veuve en voyant Rinzen pénétrer dans le salon.

— On a quelques questions à vous poser. Ce ne sera pas long. J'imagine que vous devez vous préparer pour le réveillon.

Ève Sainclair sourit tristement.

— J'avais l'habitude de faire une grosse fête. Mais avec la mort d'Emmanuel... Enfin, ce n'était pas de circonstance. Je vais me contenter de recevoir mon beau-frère et ma belle-sœur demain midi.

Rinzen et Luc se regardèrent. Ils avaient une belle ouverture. Le sergent s'avança le premier.

— Nous aimerions que vous nous décriviez le type de relation qui existait entre votre mari et son frère.

Ève fut surprise par la demande, mais ne chercha pas à comprendre pourquoi ils posaient la question. Elle voulait seulement que ce soit fini.

— Adam était aussi près d'Emmanuel qu'on peut l'être du soleil.

Sa remarque étonna les enquêteurs. Ève Sainclair les éclaira.

— Emmanuel avait une cour qui évoluait constamment autour de lui. Il était brillant et séduisant. Toujours populaire, il accordait peu de temps et d'attention à qui que ce soit. Même à un membre de sa famille.

Luc eut le réflexe de se tourner vers Thomas, qui le premier en avait parlé. Ce dernier le fixait. Il détourna aussitôt les yeux et s'adressa à la veuve.

— Est-ce qu'Adam prenait ombrage de la situation ?

Ève Sainclair fronça les sourcils.

— Pourquoi me posez-vous ces questions ?

Luc jeta un regard à Rinzen, qui intervint.

— Les femmes, maris, frères, sœurs… sont d'office les premiers suspects dans une enquête sur un crime commis contre la personne. C'est davantage un processus d'élimination.

La femme hocha la tête, mais elle ne semblait pas convaincue. Luc répéta sa question.

— Ils se fréquentaient très peu. Il n'y avait pas de disputes entre eux, si c'est à cela que vous voulez en venir. J'crois même qu'Adam l'admirait. Mais leurs vies occupées, des milieux et des champs d'intérêt différents, peu d'affinités… Ça arrive. Les liens du sang sont pas une garantie d'entente.

Rinzen se tourna vers le secrétaire.

— Et vous, Thomas ? Avez-vous déjà remarqué de l'animosité entre les deux frères ?

— J'ai peu croisé Adam Petit. La dernière fois, c'était au cocktail de Noël l'année passée. Je n'ai rien remarqué de particulier. Mais les gens sont parfois habiles à cacher leurs sentiments.

Il avait terminé sa phrase en dévisageant Luc. Rinzen crut que son coéquipier allait lui casser la figure. Elle s'empressa de mettre fin à l'entretien en remerciant Ève Sainclair de sa collaboration et poussa Luc en direction de la sortie. Quand Thomas voulut les reconduire, elle lui indiqua que ce n'était pas nécessaire, qu'ils connaissaient le chemin. Une fois à l'extérieur, elle interpella Luc.

— Vas-tu me dire ce qui se passe ?

Luc s'arrêta net et se tourna vers Rinzen. Comment expliquer à sa coéquipière que le personnage qu'il avait si habilement fabriqué avait craqué dans les bras de Thomas Flynn ? Qu'il lui avait révélé cette nuit-là des choses qu'il ne croyait jamais pouvoir révéler à qui que ce soit ? Qu'il était submergé de honte ?

— Ma vie privée regarde que moi.

Rinzen le sonda du regard un moment et déclara :

— Pas quand elle interfère dans le travail.

Luc la fixa longuement, puis il dit :

— Je t'envie. J'aimerais voir le monde à travers tes yeux, mais c'est pas le cas. Toi et moi, on vit sur deux planètes.

Rinzen ne sut pas quoi répliquer et Luc s'éloigna vers la voiture de service. Ils roulèrent en silence jusqu'au centre-ville. Sans même reparler d'une éventuelle visite chez les Petit, Luc la déposa chez elle.

Rinzen demeura hésitante sur le pas de sa porte. Ça l'embêtait de voir son coéquipier partir dans cet état, mais elle ne savait pas quoi faire pour lui venir en aide. Il avait raison. Sa vie le regardait. Il en était le seul maître. Il en avait le libre arbitre.

Elle allait mettre la clé dans la serrure quand elle s'arrêta. Le libre arbitre… La faculté qu'aurait l'être humain à se déterminer librement et par lui seul. Existe-t-il vraiment ? Adam Petit, par exemple, avait-il vraiment le libre arbitre de devenir comme son frère Emmanuel ? Ou son sort était-il prédéterminé ? Le bouddhisme enseigne que la personne qui accomplit de sombres actes récoltera de sombres résultats et celle qui accomplit des actes lumineux en récoltera de brillants. Que les uns et les autres renaîtront dans des mondes qui correspondront à leurs actes. Le karma. Le bagage de la vie présente hérité de vies antérieures…

Rinzen regarda l'heure sur son iPhone. Il n'était pas trop tard. Sa curiosité de rencontrer le personnage l'emporta sur la prudence. Elle fouilla dans les informations qu'elle avait notées dans son téléphone et trouva l'adresse d'Adam Petit.

63

Caché derrière les rideaux de son bureau qui donnait sur la rue, Adam Petit observait la sergente Rinzen Gyatso faire le pied de grue devant la porte de sa maison. Elle avait déjà sonné trois fois et il pouvait voir qu'elle hésitait à appuyer sur la sonnette une quatrième fois.

Il avait machinalement regardé par l'interstice des rideaux quand il avait entendu la première sonnerie. Il avait laissé retomber le pan de tissu quand il l'avait reconnue. La sergente Gyatso était à sa porte. Il était à la fois exalté et terrifié. Il ne cessait de penser à elle depuis qu'il l'avait suivie. L'idée qu'elle pourrait le guider comme l'avait fait Clément autrefois l'obsédait. Mais il n'était pas fou. Il savait que c'était impossible. Du moins pour l'instant…

Rinzen était sur le point de renoncer quand elle entendit une voix derrière elle :

— Est-ce que je peux vous aider ?

C'était la femme d'Adam Petit qui arrivait, les bras chargés de victuailles.

— Sergente Rinzen Gyatso, Police de Montréal. J'suis désolée de vous déranger comme ça la veille de Noël, mais j'aurais quelques questions à vous poser. C'est possible ?

— Oui, bien sûr. Sans problème.

La femme tendit son sac d'épicerie à Rinzen, qui se vit forcée de le prendre, et elle fouilla dans son sac à main à la recherche de ses clés.

— Je les trouve jamais ! Mon mari dit tout le temps que j'ai une tête de linotte.

Elle finit par dénicher son trousseau et déverrouilla la porte. En pénétrant dans le vestibule, Rinzen remarqua un long manteau de laine gris accroché à un crochet. Il n'avait pas de capuchon, mais sous le collet, il y avait un alignement de boutons. Elle regretta son imprudence. Elle n'aurait pas dû venir seule.

— J'vais aller déposer mon sac à la cuisine et je reviens. Adam ! appela Mme Petit en s'éloignant dans le corridor. On a de la visite !

Adam jura derrière la porte de son bureau. Son idiote de femme avait fait entrer l'enquêtrice dans la maison. Il lui fallait maintenant trouver une excuse justifiant le fait qu'il n'avait pas répondu à ses sonneries répétées. Il repéra son casque d'écoute, le mit sur ses oreilles et se pointa le nez dans le couloir.

— C'est toi ? demanda-t-il assez fort pour que Rinzen l'entende du salon où sa femme l'avait conduite. J'écoutais un concert.

Sa femme revint dans le corridor.

— Qui tu veux que ce soit ? Enlève tes oreilles, on a la visite de la police.

— La police ? dit-il, faussement intéressé. Ils ont peut-être trouvé ce qui est arrivé à mon frère...

Il suivit sa femme dans le salon en abaissant ses écouteurs autour de son cou. En voyant Rinzen, il s'empressa de dire :

— J'espère que vous avez pas attendu trop longtemps. J'entends rien quand j'ai les écouteurs sur les oreilles...

Puis, il posa ses grands yeux de guimauve sur la sergente. Elle eut le réflexe de détourner le regard. Les yeux d'Adam la troublaient. Comme si son geste de regarder était intime. Comment ne les avait-elle pas remarqués au crématorium ? Puis elle se souvint que l'homme gardait les yeux par terre, ce qui pouvait sembler naturel dans les circonstances. Et plus tard, quand il l'avait surpris à le détailler, elle-même avait rapidement détourné la tête, voulant justement éviter son regard. Elle inspira profondément et planta ses yeux dans les siens. C'est à ce moment que les mots de Clément surgirent dans sa mémoire…

… il avait d'immenses yeux noirs qui lui mangeaient la moitié du visage. C'est probablement ce qui le rendait attrayant au départ. Mais une fois qu'on y plongeait le regard… On aurait dit un gouffre qui avait besoin de se faire remplir. C'était comme si ses yeux cherchaient à nous dévorer tout entier. Et on devenait une proie…

Rinzen frissonna.

— Vous avez froid ? demanda la femme d'Adam. J'peux monter le chauffage.

— Non, non… Ça va aller. J'crois que j'ai attrapé un virus.

— Awwww… et c'est Noël. Pauvre vous !

Rinzen aurait voulu quitter les lieux immédiatement, mais elle ne pouvait pas partir sans poser quelques questions.

— Justement, c'est Noël. J'vous dérangerai pas longtemps. Comme je l'ai expliqué à votre belle-sœur… les femmes, maris, frères, sœurs sont d'office les premiers suspects dans une enquête sur un crime commis contre la personne. C'est davantage un processus d'élimination… pour se concentrer par la suite sur les vrais coupables.

Comme elle ment mal, songea Adam. Et il sut qu'elle savait. Étonnamment, la pensée le réconforta.

— On a découvert que la blessure qui a entraîné la mort de votre frère a été causée par un stylo… En fait, son stylo Montblanc.

— Oh, mon Dieu ! s'exclama la femme d'Adam. Quelqu'un a fini par le tuer avec son horrible stylo ! Il était impossible quand il commençait à jouer avec. Ça m'étonne pas.

— Vous croyez donc que son meurtre était justifié ?

Adam aurait ri si la situation n'avait pas été aussi grave. La sergente venait de comprendre l'étendue de la vacuité de sa femme.

— Pardon ? Non… voyons… mais il était pas facile. Et son maudit stylo…

Elle en remettait. Rinzen se demanda si elle jouait la comédie ou si elle était vraiment aussi vaine.

— Le stylo a été retrouvé chez une autre victime… le père Samuel Clément.

Rinzen surveillait la réaction d'Adam. Il n'avait même pas cligné de l'œil en entendant le nom. Il la fixait et ne disait rien. Sa femme était sidérée.

— Les agents qui sont venus vous interviewer vous ont demandé si vous le connaissiez et vous avez dit non. Vous êtes certains ?

Mme Petit fit oui de la tête. Son mari consentit à ouvrir la bouche.

— J'aimerais bien pouvoir vous aider, mais non, j'ai jamais entendu ce nom.

Rinzen fouilla ses immenses yeux à la recherche de la vérité. Une pensée saugrenue lui vint à l'esprit. Elle était contente d'avoir les yeux bridés. Adam ne pourrait pas pénétrer son âme par la fente de ses yeux.

— Vous étiez bien tous les deux ici le soir présumé du meurtre ? C'est ce que vous avez confirmé aux agents, n'est-ce pas ? dit-elle en fixant la femme.

— Oui. Je faisais des mots croisés dans le salon et Adam travaillait dans son bureau.

— Et vous vous êtes vus au cours de la soirée ? Pour un thé, un biscuit, quelque chose ?

— J'sais pas, j'me souviens pas…

— Et vous ?

Rinzen fixait Adam. Elle était certaine qu'elle avait vu son regard de caramel mou se durcir. S'aciduler.

— On fait la même chose presque tous les jours. C'est difficile de se rappeler si un soir en novembre dernier j'ai croisé ma femme dans le corridor en allant me chercher un thé ou des biscuits…

— Évidemment.

Ils ne se fixaient plus. Ils se toisaient. Après un moment, Rinzen se leva.

— Merci pour votre collaboration. Joyeux Noël !

Elle s'avança vers la sortie. Le couple lui offrit ses vœux en la reconduisant à la porte. Une fois dans le vestibule, Rinzen désigna le manteau gris.

— Mon mari en avait un pareil, mais il avait un capuchon, déclara-t-elle.

Avant qu'Adam puisse l'arrêter, sa femme dit :

— Adam en a un aussi. Mais il veut plus le mettre. Je sais pas pourquoi, d'ailleurs…

Adam et Rinzen échangèrent un dernier regard avant qu'elle quitte la maison.

Une fois dans la rue, Rinzen se pressa jusqu'à sa voiture, où sitôt assise elle verrouilla les portières. Adam Petit lui avait fait peur.

Elle mit la voiture en marche et téléphona au lieutenant Desautels. Elle ne pouvait pas ne pas rapporter la conversation qu'elle venait d'avoir.

— Et tu t'es rendue là-bas toute seule ? s'exclama Desautels une fois qu'elle eut terminé son compte rendu.

— J'sais… j'aurais dû attendre d'y aller avec Luc. J'sais pas ce qui m'a pris.

— C'est Luc qui déteint sur toi.

La remarque fit sourire Rinzen.

— Qu'est-ce qu'on fait ? On a pas de témoin, pas de preuves matérielles…

— Et le suspect a un alibi. Faible, j'en conviens, mais on a rien pour le contredire. Et on a rien d'assez concluant pour obtenir un mandat de perquisition, poursuivit Desautels.

Rinzen l'entendit soupirer au bout du fil.

— Réfléchissons à nos options et on se voit demain après-midi comme convenu.

Rinzen lui souhaita bonne soirée et raccrocha. Elle décida de rentrer chez elle sans téléphoner à Luc. C'était le 24 pour tout le monde… et les mamans bouddhistes qui avaient un enfant de cinq ans qui adorait les sapins de Noël n'y échappaient pas. La pensée lui rendit sa bonne humeur.

64

Montréal, Québec, novembre 2015

Il n'avait pas prévu le tuer. Mais maintenant qu'il était penché au-dessus de lui et qu'il entendait l'étrange gargouillis qui émanait de sa gorge alors qu'il tentait de respirer, il comprit qu'on n'échappe pas à son destin. L'Autre était condamné à mourir le jour où il était né. Il était la lune, l'Autre le soleil. Les deux astres ne pouvaient briller en même temps. L'un ne pouvait survivre à l'autre…

Il avait eu peu de relations avec son frère après que celui-ci eut quitté la maison familiale pour se marier avec Ève Sainclair. Encore moins depuis que leurs parents étaient morts, il y avait quelques années. Il habitait avec sa femme dans la maison de son enfance à Dorval et son frère logeait dans la luxueuse propriété des Sainclair à Hudson. Ils vivaient sur deux planètes. Une fois par an, Ève Sainclair les invitait pour un cocktail pendant la période des fêtes. Ils échangeaient des vœux, parlaient de banalités et prétextaient qui une migraine qui un épuisement professionnel pour écourter la soirée.

Cet éloignement après la mort de leurs parents avait été un répit pour lui. Sa pâleur lunaire pouvait briller. Sa vie ordinaire, sans incident – comme un trait plat d'ECG –, était autorisée. Il avait sa femme aux mots croisés, son cabinet de psychologue, et une clientèle fidèle de femmes solitaires, psychorigides, déprimées en quête d'affection et d'attention. Rien que ses grands yeux ne pouvaient leur procurer. Pendant un moment, il avait même cessé de souhaiter la mort de l'Autre. Il ne se réveillait plus en sueur, les mains moites, paniqué d'avoir baigné en rêve dans le sang de son frère. Il ne le voyait plus dans le visage des quidams morts dont les photos faisaient la une des journaux. Il n'essayait plus de repérer l'endroit exact où planter le couteau entre les côtes pour l'atteindre droit au cœur. Mais c'était l'accalmie qui allait inévitablement précéder la tempête.

Si toute sa vie il avait souhaité que son frère disparaisse, son éloignement avait fini par le désespérer. Il avait été impossible pour lui de vivre près du soleil, mais éloigné de lui, il se sentait flétrir. Il avait d'abord été subjugué par le sentiment d'impuissance qu'avait créé ce constat, puis loin, très loin dans son subconscient, la rage était née. Une boule informe au fond de son estomac. Un malaise persistant, sourd, qui donnait envie de mordre.

Parce qu'il était psychologue, il avait su la canaliser. Il s'était mis au sport. La course le sauverait, croyait-il. Les endorphines libérées dans son cerveau lui feraient du bien. Mais plus il courait et plus son corps devenait fort, plus la rage grossissait. Il n'y avait pas de drogue au monde capable de mettre un baume sur sa vie insignifiante. Il ne serait jamais son frère. Peut-être aurait-il pu poursuivre sa misérable vie sans que le barrage cède, mais il n'avait pas eu cette chance. Son frère, le psychiatre de renom, le mari de la plus belle femme qu'il ait jamais vue, le fils adoré de sa mère, avait un secret. Et il avait décidé de le confier à son frère.

Il avait accepté le rendez-vous dans ce parc à Hudson, près de chez Emmanuel, comme on accepte un cadeau empoisonné. Avec beaucoup de réticence et sur ses gardes. Qu'est-ce que l'Autre lui voulait ? Emmanuel, lui, avait été soulagé que son frère veuille bien répondre à son invitation. Il était désespéré et ne savait plus à qui se confier. Son entourage ne comprendrait pas. Mais son frère savait ce que c'était de ne pas avoir ce qu'on désire.

Il était arrivé en retard au rendez-vous fixé en fin de journée. À moitié pour irriter son frère, à moitié parce qu'il s'était perdu en chemin. C'était la fin de novembre, le parc était sombre et gris et les eaux agitées du fleuve frappaient la rive sans relâche. Le mercure flirtait avec le zéro. Difficile de dire si une tempête de neige ou une pluie verglaçante les menaçait. Il avait repéré Emmanuel qui l'attendait au loin, sur la jetée, assis sur un banc. Même à distance, il pouvait voir qu'il était nerveux. Il jouait avec son damné stylo.

Emmanuel s'était levé en l'entendant arriver. Il n'avait pas pris le temps de lui demander comment il allait ou s'il avait du nouveau dans sa vie. Il l'avait bombardé avec ses mots…

« J'avais personne d'autre à qui me confier. Mais j'sais que tu vas me comprendre. En fait, t'es le seul qui peut comprendre. Tu sais ce que c'est de ne pas avoir ce que tu veux, de vivre une vie dont t'as pas envie. De mourir à petit feu dans l'ombre d'un autre… »

Il savait. L'Autre avait toujours su.

« J'suis amoureux… d'un homme que j'peux pas avoir. C'est pas le premier. J'en ai eu d'autres. Mais lui… J'aurais jamais dû. J'sais pas ce qui m'a pris. Ma vie est ennuyeuse. Toujours les mêmes cons autour de moi. Une basse-cour de paons et de dindes. Tous plus riches, plus diplômés, plus savants les uns que les autres. J'en avais assez ! J'mourais ! »

Une logorrhée d'enfant gâté. Comment l'Autre pouvait-il croire qu'il aurait une once de compassion pour lui ?

« J'ai été idiot. Je l'sais. Mais c'est trop tard. J'étais désœuvré. J'suis allé dans cet endroit… Un client d'autrefois m'en avait parlé. Il m'était toujours resté en mémoire. Un sauna particulier. J'ai voulu tenter le diable… Et j'ai rencontré un ange. »

Bien sûr ! Comment pourrait-il en être autrement ? Il était l'Autre. Sa lumière ne pouvait attirer que des anges… Il avait senti la colère sourdre. Son corps s'était raidi. Le sang s'était retiré de ses joues.

« Il s'appelle Paul Abady. On s'est revus. Plusieurs fois. Toujours à la sauvette… Paul est comme une drogue. Du bonheur instantané. Si tu le rencontrais, tu comprendrais. J'meurs quand j'suis loin de lui… J'sais que tu me comprends. J'quitterais tout pour lui. Mais il veut pas… Il me résiste. »

Il n'entendait plus rien. Il était devenu un bloc de marbre. Une sculpture de colère. Emmanuel s'énerva de son manque d'empathie et dans son envolée passionnelle l'interpella, frappant son torse avec ses poings, avec sa main serrée autour de son stupide stylo Montblanc.

« Tu dis rien. J'ai besoin de ton aide. Pour une fois dans ta vie, rends-toi utile. »

Sans jamais sourciller, il lui arracha le stylo des mains et le planta dans sa gorge.

65

Le lieutenant Desautels n'avait pas cessé de réfléchir à la conversation qu'il avait eue avec la sergente Gyatso concernant sa visite chez Adam Petit. C'était frustrant de penser que l'homme qui avait deux meurtres sur la conscience allait peut-être s'en tirer. La justice protégeait les innocents, mais parfois également les coupables. « Présumés coupables », se sermonna-t-il en se remettant au travail.

Dès son arrivée à la maison, Desautels s'était enfermé dans la pièce au sous-sol qui lui servait de bureau. Il s'y réfugiait lorsqu'il rapportait du matériel délicat, sur lequel il ne voulait pas que sa femme pose les yeux. Cette fois, c'était différent. Il n'avait pas traîné de dossier. Il travaillait sur son projet.

— Gerry, c'est prêt !

Sa femme l'appelait pour qu'il monte réveillonner avec elle au salon.

— J'arrive !

Desautels mit la touche finale à l'emballage et la rejoignit.

Depuis toujours, sa femme et lui avaient un rituel de Noël. À part la dinde, qu'ils mangeraient plus tard, sa femme préparait des amuse-gueules qu'ils dégustaient devant le sapin en buvant lui un scotch, elle un verre de champagne, qu'elle se versait d'une demi-bouteille achetée pour l'occasion.

En le voyant monter du sous-sol, sa femme partit à la recherche du CD du temps des fêtes que son mari préférait : des chants de Noël interprété au piano par Dave Brubeck. Une atmosphère jazzée de piano-bar, idéale pour l'apéro. Sa femme avait l'art des ambiances. Pendant qu'elle avait le dos tourné, Desautels déposa son « projet » emballé sous le sapin.

Gerry prit place dans son La-Z-boy et sa femme lui servit son scotch. Elle s'était déjà servi une flûte de champagne. Ils trinquèrent et Desautels attaqua les bouchées. Ses grognements de satisfaction firent plaisir à sa femme. Elle l'observa un moment qui mangeait avec appétit et dit :

— T'as meilleure mine.

Elle avait vu juste. Il se sentait mieux. Son projet, il en était certain, lui permettrait de trouver un exutoire au musée des horreurs qui logeait dans son cerveau et à la lourdeur que l'âge et l'éternelle répétition des crimes avaient installée dans son être. La pensée l'allégeait déjà.

— J'ai trouvé ma passion, dit-il avec un clin d'œil.

Sa femme fut surprise.

— Pas une autre femme, toujours ?

Elle l'avait dit pour plaisanter, mais il y avait un fond d'inquiétude dans sa question.

— Il y en a qui appellent ça une maîtresse…

Elle faillit s'étouffer quand elle vit son œil rieur s'allumer.

— Mon chenapan !

Il rit franchement.

— Je t'ai eue !

— Fin finaud !

Gerry Desautels était content de son coup. Il avait bien préparé sa surprise. Il dit :

— On devrait se donner nos cadeaux.

— Attends ! J'veux en savoir plus sur ta nouvelle « passion ».

Gerry souriait comme le chat du Cheshire dans *Alice au pays des merveilles*.

— Ouvre un cadeau avant.

Elle trouvait sa requête bizarre, mais elle obtempéra.

— Lequel ?

— Essaie la petite boîte enveloppée en rouge.

Sa femme regarda sous le sapin et la vit.

— Elle était pas là tantôt.

Desautels ne dit rien. Sa femme se pencha et ramassa la boîte. Elle était lourde pour sa grosseur.

— C'est un livre. J'peux le dire juste au poids. Attends, c'est…

— Ça m'étonnerait que tu devines. Ouvre !

Sa femme aimait les cadeaux. Elle déchira l'emballage sans ménagement et ouvrit la boîte. À l'intérieur, il y avait bien un livre. Elle le sortit. Desautels sourit en voyant l'expression d'étonnement se dessiner sur son visage pendant qu'elle lisait l'inscription sur la couverture. Elle tourna lentement la tête vers lui.

— Qu'est-ce que ça veut dire ?

— Regarde dedans !

Elle l'ouvrit et lut la dédicace sur la première page : « Pour ma femme, ma seule et unique confidente. » Elle referma le livre et relut l'inscription sur la couverture…

Une vie d'enquêtes
de
Gerry Desautels

Puis elle feuilleta le livre, qui ne contenait que des pages blanches. Elle comprit enfin.

— Tu vas écrire tes enquêtes pour moi ?

— Pour nous deux, en fait.

Elle se précipita sur ses genoux et l'embrassa. Un long baiser qui n'avait rien de chaste.

— Avoir su, j'aurais fait ça avant.

Elle rit et récidiva.

66

Pour une fois, elle se taisait. Le silence qui avait suivi son annonce lui avait sauvé la vie. Pour combien de temps, il l'ignorait. Il avait cru que la mort de l'Autre l'apaiserait, mais l'enchaînement des événements l'avait propulsé dans une spirale de cause à effet qui alimentait sa rage.

— Le Belize, dit-elle enfin. Pourquoi ?

— Parce qu'ils ont pas de traité d'extradition avec le Canada.

Elle avait ri niaisement, convaincue qu'il faisait une blague.

— Mais ma valise est pas faite… et j'ai acheté tout ce qu'il faut pour le réveillon. Et demain on est invités chez ta belle-sœur…

Elle n'arrivait pas encore à croire que son mari leur avait acheté deux billets pour le Belize, dont le départ était dans quelques heures à peine. Il se plaqua un faux sourire sur la bouche et dit :

— La mort d'Emmanuel m'a fait réfléchir… La vie peut s'arrêter demain. Pourquoi attendre pour réaliser nos rêves ?

Elle ne réagissait toujours pas.

— Et on va être en transit à Miami pour fêter le réveillon. J'ai réservé une chambre d'hôtel à South Beach. Comme tu rêvais…

Elle était sonnée. Et contrairement à ce qu'il aurait cru, elle ne sautait pas de joie. Il est vrai qu'elle négociait mal avec les imprévus, mais il se serait attendu à un peu plus d'enthousiasme. Sa patience commençait à s'élimer. Et son envie d'en finir avec elle grondait.

— Je sais pas quoi dire…

— Dis oui. Un cadeau comme ça, ça se refuse pas.

Il s'était approché d'elle et avait planté ses yeux larmoyants dans les siens. Toute autre femme qu'elle aurait pris peur. Car tout au fond de ses prunelles, il était facile de deviner l'envie qu'il avait de l'étouffer. Mais la femme d'Adam n'avait rien vu. Elle avait l'intuition d'un légume.

— T'es fou… dit-elle en rougissant et en se levant pour planter un bec sonore sur son front. OK ! On part en vacances !

Elle regarda l'heure du départ sur le billet.

— Oh mon Dieu… J'ai juste une demi-heure pour me préparer.

Il avait soupiré d'aise et l'avait laissée vaquer à ses préparatifs.

Adam avait acheté les billets dès que le corps de son frère avait été découvert. Il avait choisi un départ le 24 décembre, parce que c'était justifiable auprès des autorités et de sa femme. Il ne savait pas s'il les utiliserait, mais après la visite de la sergente, il avait senti qu'il n'avait plus le choix. Elle avait deviné et ne lâcherait pas le morceau tant qu'elle ne trouverait pas de preuves. Et ça commencerait par son alibi. Si la sergente insistait suffisamment auprès de sa femme, celle-ci finirait par vendre la mèche, sans s'en rendre compte.

Il lui avait dit, l'après-midi de son rendez-vous avec l'Autre, qu'il aurait à travailler tard dans son bureau, ce qu'elle avait cru sans se poser de questions, et il avait quitté la maison sans qu'elle le remarque. C'était facile. Elle avait toujours le nez fourré dans ses mots croisés. Il ne voulait pas qu'elle sache qu'il avait rendez-vous avec son frère. La tâche l'embêtait déjà et il n'avait pas envie d'en entendre parler *ad infinitum*.

Le problème, concernant son alibi, est que sa femme avait voulu aller chercher ses gants, qu'elle croyait avoir oubliés dans la voiture de son mari, et qu'elle n'était pas parvenue à trouver le véhicule dans la rue. À son retour, cependant, elle avait découvert ses gants dans le vestibule et avait alors abandonné l'idée de questionner son mari sur l'endroit où il avait garé sa voiture. Elle savait dans quel état il se mettait lorsqu'elle interrompait ses séances de travail. Toutefois, elle lui en avait parlé au petit-déjeuner du lendemain. Adam avait rapidement inventé l'excuse qu'il avait dû laisser l'auto chez le concessionnaire pour une mise au point. Sa femme n'en avait plus fait de cas. Le danger, maintenant, était que sous la pression elle révèle l'histoire de la voiture manquante. Sa femme n'avait pas fait le lien, mais la jeune enquêtrice n'y manquerait pas. Et si elle vérifiait avec le garage… Une fois son alibi démoli, ils obtiendraient un mandat de perquisition et ils finiraient par trouver des preuves. Il n'avait pas l'arrogance de croire qu'il était à l'abri de l'erreur.

Bien sûr, la disparition de sa femme aurait pu régler bien des problèmes. Mais il n'était pas un criminel. Tuer le répugnait. C'était une pulsion incontrôlable qui l'avait mené à occire son frère, mais il ne tuerait jamais de sang-froid. Il en avait la preuve avec sa femme. Malgré son désir grandissant, il parvenait à se contrôler…

— On est prêts ! Mais je trouve pas mon passeport…

Elle avait réussi à faire leurs deux valises en vitesse. Il lui sourit et mit la main dans sa poche de veston, d'où il sortit deux documents.

— J'ai les deux !

Elle gloussa enfin d'excitation et ils purent partir. Avant de monter dans la voiture, il jeta un dernier coup d'œil sur la maison qui l'avait vu grandir. Il était convaincu qu'il n'y remettrait jamais les pieds.

67

Comme tous les 24 décembre depuis qu'il l'avait sorti de la rue, Denis Saint-Onge avait organisé une petite fête au Jab-Jab. Luc s'y était rendu, heureux du divertissement.

— T'as l'air mieux…

Il s'adressait à Jonathan, également invité par Saint-Onge. Le garçon avait pris un peu de muscles, mais c'est sa confiance qui frappait. Il se tenait le dos droit et son regard ne fuyait plus. Luc lui ébouriffa les cheveux et le laissa en compagnie des autres jeunes sans famille, invités à la fête.

— Joyeux Noël, *man* ! dit Saint-Onge en le voyant s'approcher et en lui tendant la bouteille de whisky pour qu'il remplisse son verre presque vide.

— J'vais passer mon tour.

— C'est Noël…

— J'travaille demain.

Saint-Onge fit signe qu'il comprenait, mais il n'était pas dupe. Le travail n'avait jamais empêché Luc de se payer du bon temps. Il s'inquiétait du bien-être de son protégé. Il n'avait pas eu l'occasion de lui reparler depuis le fameux soir où il s'était effondré en pleurs. Luc était comme un fils pour lui. Il ne connaissait pas tous les détails de son passage dans la famille d'accueil qui l'avait mené à la rue, mais il savait que les blessures étaient profondes et les séquelles, nombreuses.

— T'as pas l'air dans ton assiette, dit-il en s'écrasant sur le divan dans son bureau.

Luc l'imita, non sans se souvenir de la nuit qu'il avait passée sur ce même divan en compagnie de Thomas Flynn. Saint-Onge vit l'expression sur son visage changer et cela éveilla sa curiosité.

— Tu caches quelque chose, toi…

Luc eut un geste d'impatience.

— J'ai raison ! Tu serais pas frustré comme ça si j'avais pas raison. Raconte !

Luc tergiversait. Il n'allait certainement pas lui avouer qu'il avait amené un homme dans son bureau et qu'ils y avaient fait l'amour pendant plusieurs heures. À quoi ça lui servirait de toute façon de parler de Thomas. Il avait pris sa décision. Il ne se sentait pas le courage de lui faire face.

— On est sur une enquête difficile… et j'suis fatigué.

— T'es pas malade ?

Luc savait que Saint-Onge s'inquiétait de ses habitudes sexuelles et que sa question faisait référence au VIH.

— Inquiète-toi pas. J'ai rien attrapé.

Mais il aurait pu. Il repensa à sa relation non protégée avec Paul Abady. Une folie qu'il ne recommencerait plus… même si Jeff Knowland semblait penser le contraire. Heureusement, il avait pu obtenir l'information par le pathologiste que la victime n'était pas séropositive. Il l'avait échappé belle.

Saint-Onge et lui parlèrent de choses et d'autres pendant un moment. Les finances du club, la dégradation du quartier, les taxes… Au bout d'un moment, le jeune Jonathan pointa la tête dans la porte.

— Luc…
— Qu'est-ce qu'y'a ?
— Un gars veut te voir, mais il veut pas monter. Il est resté en bas.
— Il t'a donné un nom ?
— J'lui ai pas demandé. Veux-tu que j'y retourne ?
— Non, non… ça va aller. Ça doit être un indic.
Jonathan eut un drôle d'air, mais ne dit rien. Luc quitta le bureau pour aller voir qui avait choisi un 24 décembre pour lui fournir des informations. Quand il arriva au pied de l'escalier et qu'il vit qui l'attendait, il figea. De l'autre côté de la porte, Thomas Flynn faisait les cent pas sur le trottoir pour se réchauffer.

68

Sashi montra du doigt un des papiers glacés qui pendaient du sapin parmi les drapeaux et les petits moulins à prières, et sur lesquels, avec une calligraphie soignée, Rinzen avait transcrit des haïkus. Opame lut ce qu'il y avait sur celui qui intéressait son petit-fils.

Glaçon scintillant
Mer qui brasille sous la lune
Bijoux du divin

Sashi répéta le mot « brasille » avec ses sourcils qui traçaient un accent circonflexe sous l'effort. Cela fit rire sa mère, qui les observait.

— Brasille est un synonyme de scintiller, briller... expliqua celle-ci.

Il réfléchit.

— Le glaçon et la mer brillent comme des bijoux.

Opame regarda sa fille.

— « Doté d'une grande intelligence », comme sa mère.

Rinzen sourit. Sa mère aimait lui rappeler la signification de son prénom.

La sergente avait été heureuse de retrouver sa famille après sa visite chez Adam Petit, et elle était arrivée à temps pour méditer avec ses parents et son fils. C'était une tradition chez les Gyatso. Le 24 décembre, ils méditaient sur la paix, un vœu que formulaient des milliers de chrétiens au pied de leurs sapins. Les Gyatso croyaient en la puissance de la méditation collective. Ces prières lancées dans l'univers avaient le pouvoir d'influencer le monde.

Ils purent passer à table une fois que Sashi eut fait lire à sa grand-mère la majorité des haïkus accrochés aux branches du sapin. Rinzen, que la méditation avait débarrassée du malaise persistant après sa visite chez Adam, attaqua son assiette avec appétit.

— Maman…

— Oui, mon minou…

— Y a un monsieur qui a téléphoné pour toi tout à l'heure.

— Oh, j'ai oublié, dit aussitôt sa mère. J'ai un message pour toi.

Opame se leva et alla chercher le bout de papier sur lequel elle avait noté le mot.

— Ah ! Le voilà !

Opame le tendit à Rinzen, qui, avant de s'en emparer, sentit qu'il y avait quelque chose d'anormal.

— C'était quelqu'un du central ?

Opame lui dit que non. Rinzen lut le message et blanchit. C'était un mot d'Adam Petit. Il lui souhaitait une bonne année puisqu'il doutait qu'il puisse le faire en personne. Rinzen se leva prestement et partit à la recherche de son cellulaire. Il était urgent de joindre Desautels.

69

Luc avait fait signe à Thomas d'attendre, le temps qu'il monte chercher son blouson, puis il l'avait entraîné dans un *greasy spoon* non loin du club, qui était ouvert vingt-quatre heures sur vingt-quatre. L'éclairage était blafard et la clientèle composée presque exclusivement de prostituées. Flynn détonnait encore une fois dans son long manteau de cachemire.

— T'inquiète pas. J'suis pas venu te harceler, dit Thomas. J'ai trouvé quelque chose qui pourrait peut-être vous intéresser dans les affaires d'Emmanuel.

— Et ça pouvait pas attendre demain ? T'as pas un party chic où t'es attendu ?

Thomas ne réagit pas à son ton agressif. Il le voyait pour ce qu'il était : un mécanisme de défense. Il sortit une facture froissée de la poche intérieure de son manteau et la tendit à Luc.

— Qu'est-ce que c'est ?

— Ève m'a demandé de mettre de l'ordre dans les papiers de son mari. Il y en a des boîtes pleines. Des documents récupérés de son bureau à la maison, mais aussi de celui de l'institut où il faisait ses recherches, ainsi que de celui de l'université où il enseignait. Je faisais le tri parmi les papiers de l'institut quand j'ai trouvé ça.

Luc lut ce qui était inscrit au dos de la facture.

— Adam, 17 h 30, parc Hudson.

La note ressemblait à un gribouillis dessiné pendant qu'on est au téléphone. Il regarda Thomas.

— Adam avait rendez-vous avec son frère.

Le secrétaire hocha la tête et lui fit signe de retourner la facture. Luc vit que c'était celle d'un restaurant à la mode. Il regarda l'heure et la date de la transaction. Midi, le jour de la disparition d'Emmanuel Petit. Paradis regarda Thomas.

— Tu viens peut-être de résoudre notre affaire…

Thomas sourit.

— Est-ce que ça me donne des bons points ?

Luc ne put s'empêcher de lui retourner son sourire.

— Oui, mais ça change rien. Tu peux rien acheter avec ces points-là.

— Même pas une petite pipe le soir du 24 décembre ?

Le regard de Thomas lui vrillait le bas du ventre. Luc ne put résister. Il l'entraîna derrière le Jab-Jab, où il avait garé la voiture de service. Une fois à l'intérieur, Thomas s'empressa de l'embrasser à pleine bouche. Luc voulut le repousser, mais il continua jusqu'à ce qu'il n'ait plus la volonté de résister. Il l'embrassa longuement, puis le fit s'adosser à la porte de la voiture et défit la fermeture éclair de son pantalon. Avant de se pencher pour le prendre dans sa bouche, il dit :

— Après ça, tu pourras plus te passer de moi.

Luc n'ouvrit la bouche que pour laisser échapper un gémissement de plaisir.

Il n'y a pas de rédemption possible. Il n'y a que le sacrifice de ma vie…

70

Avec la preuve que Thomas Flynn avait fournie au sergent Paradis et le risque de fuite que présupposait le message laissé au sergent Gyatso, le lieutenant Desautels avait réussi à obtenir un mandat de perquisition pour la résidence de Dorval ainsi qu'un mandat d'arrêt pour Adam Petit. Le processus ayant pris une grande partie de la journée du 25 décembre, l'équipe s'était finalement pointée à la maison du suspect en soirée. N'obtenant pas de réponse, des agents avaient ouvert la porte de force. Ils y virent les signes évidents d'un départ précipité. Après recherches, le trio d'enquêteurs découvrit que le couple avait pris un avion la veille pour Miami et que, le matin même, ils s'étaient embarqués pour le Belize. Ils perdaient la trace des Petit à l'aéroport.

La soirée était douce et de gros flocons de neige dansaient joyeusement dans l'air. Desautels, Gyatso et Paradis s'étaient réunis près de leurs voitures de service, pendant que les agents affectés à la perquisition accomplissaient leur travail à l'intérieur du domicile. Chacun réfléchissait aux conséquences de leurs découvertes des dernières heures.

— Ça m'étonnerait qu'on remette jamais la main dessus, dit Luc. Du Belize, Petit peut disparaître n'importe où en Amérique latine…

— Et sa femme aussi.

Rinzen était certaine que la pauvre femme n'avait aucune idée de ce qui s'était passé. Qu'adviendrait-il quand la semaine de vacances prévue se terminerait et que son mari refuserait de prendre le vol de retour ?

— J'penche du bord de Gyatso, dit Desautels, ses jours sont comptés. Et quand j'pense à la fin que Petit avait réservée à Samuel Clément…

Ils redevinrent silencieux. C'est tout ce qu'ils pouvaient faire pour la pauvre femme. Envoyer des prières silencieuses.

Après un moment, le trio se résigna à retourner chacun à sa vie. Desautels salua ses enquêteurs et rejoignit sa femme, qui était de retour à la maison après avoir passé la journée dans sa famille. Luc voulut s'éclipser sans dire un mot sur les activités qu'il avait prévues pour ce soir de Noël, mais Rinzen lui attrapa le bras et il dut affronter ses yeux inquisiteurs.

— Quoi ?

— Si t'as rien… tu peux venir à la maison.

— Une autre fois…

— Ça répond pas à ma question, insista Rinzen, l'œil rieur.

— Parce que j'veux pas y répondre, madame la détective.

Rinzen sourit et s'avança vers sa voiture.

— Tu diras « Joyeux Noël » à Thomas pour moi.

Luc se tut et rougit jusqu'aux oreilles.

— J'ai des dons… J'te l'avais pas dit ?

Rinzen n'attendit pas qu'il réponde et monta dans sa voiture. Elle rit en le regardant s'engouffrer dans la sienne en vitesse, encore ébranlé d'avoir été découvert.

Rinzen regarda l'heure à l'horloge de la voiture. Si elle se dépêchait, elle arriverait peut-être à temps pour border son fils. Elle allait démarrer quand son cellulaire carillonna.

— Gyatso !

— Bonsoir, Rinzen…

Son corps se couvrit d'une sueur froide. Adam Petit était à l'autre bout du fil.

— Vous n'êtes pas très bavarde.

L'enquêtrice inspira profondément pour ne pas céder à la panique.

— Qui vous a donné mon numéro ?

Adam rit. Il lui dit qu'il n'avait eu qu'à expliquer au central qu'il avait des informations cruciales concernant l'affaire en cours et on lui avait gracieusement fourni le numéro. Rinzen maudit le manque de formation du nouveau personnel.

— C'est la vantardise qui vous fait appeler ?

— La vantardise ? Vous vous trompez sur moi. Je regrette d'avoir tué mon frère. Je m'en vanterais jamais.

— Et le père Samuel ? Vous regrettez aussi de l'avoir attaché et laissé mourir de faim ?

Au bout du fil, il n'y avait que le grésillement de la mauvaise communication.

— Vous dites rien ?

— J'ai pas tué Samuel Clément.

— Vous pensez que je vais vous croire ?

— J'aurais jamais pu. Samuel Clément était mon ami.

— Et Emmanuel, votre frère.

— Oui, mais Samuel me protégeait. Mon frère me détruisait.

Rinzen ne savait plus quoi penser.

— Qu'est-ce que vous me voulez ?

— J'voudrais qu'on soit des amis.

Et il raccrocha.

71

Quand Opame vit Rinzen entrer dans l'appartement, elle sut immédiatement que quelque chose ne tournait pas rond avec sa fille. Elle lui prit la main et l'entraîna dans la cuisine, où elle lui servit une tasse de thé au beurre. Rinzen s'était murée dans le silence.

— Il va falloir parler...

Rinzen regarda sa mère. Elle voulait la ménager, mais en même temps elle avait besoin de ses conseils.

— J'ai survécu à l'invasion des Chinois. J'suis plus forte que t'imagines.

Sa merveilleuse maman avait réponse à tout.

— L'enquête qu'on vient de boucler... est pas vraiment fermée. Le tueur est encore en liberté.

— Tu crains pour ta vie ?

— Non. Il a fui en Amérique latine.

Rinzen avala quelques gorgées de thé, le temps de trouver la façon d'expliquer à sa mère ce qui la terrorisait.

— L'homme... Adam... avait développé une relation avec un frère. Son confesseur. Pendant toutes ces années, Adam voulait tuer son frère, et le frère Samuel était comme un barrage. Jusqu'à ce qu'Adam puisse plus contenir sa pulsion et tue son frère. Et le frère Samuel... Je crois.

Opame l'écoutait attentivement. Rien de ce que Rinzen disait ne semblait l'ébranler.

— Adam a trouvé mon numéro de téléphone… et m'a demandé de devenir son amie. Il veut me hanter comme il l'a fait avec le père Samuel.

Opame réfléchit un moment et dit :

— Sais-tu pourquoi ?

Rinzen regarda sa mère.

— Non…

Opame lui prit les mains.

— Il voit la lumière en toi. Comme il la voyait dans le père Samuel. Il a besoin de cette lumière pour retrouver son chemin et brûler le karma qui l'afflige. Il ne peut pas te hanter. C'est toi qui le hantes.

Rinzen sourit. Opame avait trouvé les bons mots.

— Qui va me guider quand tu seras plus là ?

La vieille femme sourit.

— Ton cœur.

La mère et la fille allaient s'enlacer quand elles entendirent une plainte provenant de la chambre de Sashi. Elles se précipitèrent à son chevet.

— Maman est ici. Qu'est-ce qu'il y a ?

Sashi lui montra le poignet de sa main droite.

— J'ai mal.

Rinzen comprit tout de suite de quoi il s'agissait. Le bracelet de cuir qu'il portait avait rétréci au point qu'il provoquait une congestion au poignet. Opame, qui avait fait le même constat, était déjà partie chercher des ciseaux.

— Je t'ai dit de l'enlever quand tu prends ton bain. Le cuir mouillé rétrécit quand il sèche. T'as dû l'attacher serré et en séchant il est devenu trop…

Rinzen s'arrêta net.

— Qu'est-ce qu'il y a ? demanda sa mère revenue avec les ciseaux.

— Coupe le bracelet, je dois aller vérifier quelque chose.

Elle quitta la chambre de son fils en vitesse.

72

Desautels, Paradis et Gyatso étaient attablés à la « caf ». Le restaurant, désert un 26 décembre, était parfait pour l'annonce qu'elle avait à leur faire. Adam Petit n'avait pas tué Samuel Clément.

Après l'épisode dans la chambre de son fils, Rinzen s'était rendue au quartier général, où elle avait sorti le dossier avec les photos des scènes de crime. Elle les avait rapidement passées en revue jusqu'à ce qu'elle tombe sur celle qu'elle cherchait. Un cliché pris dans l'appartement du frère Samuel où l'on voyait un bol d'eau brouillée dans l'évier. L'eau était brunâtre. Puis, elle ressortit le rapport d'autopsie du frère, où le pathologiste faisait mention de la coloration brunâtre de la peau autour des plaies. Les lanières de cuir ayant servi à retenir le frère Samuel à la poutre avaient déteint sur sa peau. Comme elles avaient coloré l'eau du bol dans l'évier…

— J'ai fait une recherche rapide ce matin, dit Rinzen. Samuel Clément a pas vendu la cordonnerie de son père. Les lanières venaient probablement de là.

Luc et Desautels étaient sceptiques.

— Il me semble que c'est chercher loin, répliqua Desautels. Je vois pas comment il a réussi à s'attacher à la poutre.

— C'est pas impossible, reprit Rinzen. Si Samuel a fait tremper les lanières dans l'eau assez longtemps, une fois ses bras insérés dans leur entortillement autour de la poutre, le cuir a pu rétrécir suffisamment pour l'empêcher de les retirer.

— Mais, dit Luc, il aurait fallu qu'il veuille à tout prix mourir de cette façon-là ! Mourir de faim… c'est impensable.

Rinzen sortit le journal, qu'elle avait pris soin d'apporter, et en lut un passage.

Il n'y a pas de rédemption possible. Il n'y a que le sacrifice de ma vie…

— Voyez-vous ? Samuel croyait qu'il n'avait pas d'autre choix. Il cherchait la rédemption à tout prix.

— Mais le suicide est condamné par la religion catholique, fit remarquer Desautels.

— C'est pour ça que je pense qu'à la dernière minute Clément a retrouvé ses sens. Il a voulu se détacher, mais le tabouret sur lequel il était monté s'est renversé dans ses efforts pour s'extirper de ses liens.

Desautels et Paradis réfléchissaient.

— C'est possible, reconnut Desautels. Il se serait retrouvé pendu par les bras et, sous le poids de son corps, ses épaules se seraient disloquées. Faible comme il devait être, il devenait alors impossible pour lui de se détacher.

Rinzen hochait la tête.

— Les lanières de cuir avaient rétréci au point de s'incruster dans sa peau. Même soutenu par le tabouret, je ne crois pas que Clément serait parvenu à se défaire de ses liens. Il avait trop bien préparé sa mort.

— Quand même, dit Luc, on peut pas être certains. Adam Petit avait d'excellentes raisons de vouloir le tuer.

— Oui, mais il avait pas de raisons de me mentir quand il a téléphoné. Il a avoué être l'auteur du crime contre son frère. Pourquoi ne pas avouer avoir tué le frère Samuel ?

Desautels sourit et répondit :

— Parce qu'il ne l'a pas tué. Bon travail, Gyatso !

Desautels, Gyatso et Paradis parlèrent encore un moment de l'affaire, puis ils demandèrent l'addition. Le reste de la journée leur appartenait et ils comptaient en profiter.

Épilogue

Rinzen verrouilla la porte d'entrée et respira un grand coup avant de s'éloigner avec Sashi vers le parc où ils avaient l'habitude d'aller jouer. Le printemps se montrait le bout du nez et la lourdeur de l'hiver s'évanouissait enfin. La journée était radieuse et Rinzen était heureuse de passer du temps avec son fils. Rien d'autre n'importait que le moment présent.

Sashi s'émerveillait du printemps naissant, désignant les bourgeons des arbres qui l'intéressaient particulièrement.

— Regarde, maman !

Un lilas, égaré dans la jungle de bitume, tentait de faire éclore ses bourgeons. On pouvait presque sentir l'effort de l'arbuste.

— Penses-tu que c'est une fleur ?

Rinzen examina le bourgeon.

— Celui-là deviendra une feuille. Mais regarde celui-ci…

Sashi s'approcha pour mieux voir.

— On voit déjà la grappe.

— Oh !

Sashi applaudit, excité à l'idée que, dans peu de temps, il verrait le lilas en fleurs. Rinzen sourit en voyant le plaisir immense que son fils tirait de la nature. Malgré la télévision, Internet, les amis, elle avait quand même réussi à intéresser son fils aux choses simples de la vie. Cette pensée la réconforta et lui procura un vif sentiment de fierté. Peut-être était-elle une bonne maman après tout. Puis, son cellulaire vibra dans sa poche. Et machinalement, elle le sortit pour répondre.

— Gyatso !

— Bonjour, Rinzen…

Knowlton, 1er février 2016

Remerciements

Merci à Johanne Guay d'avoir gracieusement pris la relève de Monique H. Messier. Tu as su m'accompagner avec délicatesse et talent dans ce passage si fragile.

Merci à mes amis Mario, Michel, Sylvain et Raymond pour leur patience quant à mes questions répétées sur la communauté gaie et le bouddhisme.

Merci à l'équipe du Groupe Librex, qui veille sur moi et mes bébés avec beaucoup de persévérance et de diligence.

Enfin, toute ma gratitude à mes lecteurs et lectrices.

Namaste.

Pour communiquer avec l'auteure

Site web
www.johanneseymour.com

Facebook
www.facebook.com/johanneseymourauteure

Twitter
@JohanneSeymour

Suivez les Éditions Libre Expression sur le Web :
www.edlibreexpression.com

Cet ouvrage a été composé en Adobe Caslon Pro 12,25/14,75
et achevé d'imprimer en avril 2016 sur les presses
de Marquis imprimeur, Québec, Canada.

certifié

procédé sans chlore

100 % post-consommation

archives permanentes

énergie biogaz

Imprimé sur du papier 100 % postconsommation, traité sans chlore,
accrédité Éco-Logo et fait à partir de biogaz.